de Bi

# EEN GOUDEN GREEP

Julia Burgers-Drost

# Een gouden greep

*Spiegelserie*

ISBN 978 94 0190 091 1
ISBN E-BOOK 978 94 0190 092 8
NUR 344


Omslagontwerp: Bas Mazur

www.spiegelserie.nl

# 1

Met grote stappen beent Annelies Bussink over het nogal smalle trottoir van het stadje waar ze nu ruim een jaar woont. Ze heeft geen oog voor de etalages die ze passeert. Zelfs de plakkaten waarop een geweldige opruiming staat aangekondigd, ontgaan haar. De hakken van haar laarzen klikklakken over stoeptegels die hier en daar verraderlijk glad zijn.
Haar anders zonnige gezicht staat nors. Ze vindt dat ze daar een reden voor heeft. Hoewel haar levenshouding feitelijk positief is, is daar nu niets van te merken.
Wat de reclames op de winkelruiten niet voor elkaar krijgen, lukt de geur van verse koffie wél. Daar, een restaurantje. Een café annex bakkerszaak. Uit ervaring weet ze dat de koffie en het gebak daar prima zijn. Als ze de deur opent, klingelt er een vrolijk belletje boven haar hoofd. Het doet ouderwets aan, zoals er meer nostalgisch is in het provinciestadje. Ze weet dat de bewoners uit de omliggende dorpen van 'de' stad spreken. Als ze dat hoort, moet ze een lachje verbijten. De plaats is niet te vergelijken met de omgeving van de Randstad, waar zij en haar ouders vandaan komen.
Ze rukt een lange sjaal van haar hals en bijpassende muts van haar hoofd, deponeert ze op een lege stoel en ploft op een ernaast. 'Koffie!' Dat is het antwoord op de vraag van een vermoeid uitziend winkelmeisje.
Koffie met een dûmke, een koekje met anijssmaak, een regionaal product. Koud, jazeker, het is koud buiten. Schaatsen? Bedankt, ze zit liever bij de verwarming.
Klanten komen en gaan, telkens weer hoort ze het woord 'koud' opklinken. En het meisje achter de toonbank reageert iedere keer weer alsof ze het nog niet één keer over het weer heeft gehad.
Annelies vangt een glimp op van haar eigen gezicht dat in een winkelruit wordt weerkaatst. Schouderlang warrig haar, dat ontembaar

alle kanten op springt. Alsof het nooit met een kam in aanraking is geweest.
Jawel, ze heeft een mooie huid en doorgaans stralende ogen. Nu stralen haar ogen even niet. De reden: onenigheid met haar ouders. Het moet gezegd dat dit niet vaak voorkomt. Zelfs niet tijdens de puberteit, die toch alweer jaren achter haar ligt.
Haar ouders, voor haar Annie en Flip, zijn in feite haar beste vrienden. Zeker toen ze na haar atheneum psychologie ging studeren, in de voetsporen van de mensen die haar op de wereld hebben gezet en liefdevol grootbrachten.
Toen Annie en Flip besloten de Randstad te verlaten om wat rustiger te gaan leven, besloot Annelies hen te volgen. Heel snel vonden de ouders een geweldig pand dat aan alle wensen voldeed. Een huis uit achttienhonderdzoveel, geheel gerenoveerd, gelegen aan een straat die met zogeheten kinderkopjes is bestraat. De gevel is op zich al een plaatje, en de voordeur springt in het oog. Een dubbele deur met raampjes waarvoor een smeedijzeren hekwerkje.
Annie en Flip besloten op de bovenverdieping hun werkkamers te realiseren, waar ze zich ongestoord in hun huidige studie kunnen verdiepen: de invloed van voeding in de breedste zin van het woord op het gedrag en de gezondheid van jonge kinderen. Enkele dagen in de week is er spreekuur in een van de benedenkamers. Artsen weten hen te vinden en sturen volwassen patiënten maar wat graag naar de nieuwkomers door.
En het is Annelies die de jonge kinderen met problemen behandelt. Ze heeft als psychotherapeute veel succes. Ze weet als geen ander tot de kern van problemen door te dringen. En kinderen aan het praten te krijgen! Vanzelfsprekend beschikt zij in het ruime huis over een eigen behandelkamer.
Het is allemaal zo gegroeid: Annie en Flip bekommeren zich om de volwassenen, de kinderen komen voor rekening van Annelies. Het ging allemaal goed, van het spreekwoordelijke leien dakje. Tot de

ouders van de ene dag op de andere met een opstandige dochter werden geconfronteerd.
Nee, Annelies is niet langer gelukkig met de situatie. Het is of ze 'in dienst' is bij haar ouders. Waren er voorheen zelden tot nooit problemen, opeens ervaart Annelies de houding van haar ouders als betuttelend. Zij hebben het voor het zeggen, als het op belangrijke beslissingen aankomt.
Na haar studie heeft ze tijdelijk in een inrichting gewerkt, er veel ervaring opgedaan, en eigenlijk was het wel gemakkelijk om op het verzoek van haar ouders om te gaan samenwerken, in te gaan. De weg van de minste weerstand.
Tot nu toe.
Ze vindt het zo moeilijk om uit te leggen. 'Ik wil meer vrijheid!' komt over alsof ze aan de leiband loopt, wat niet waar is. Het is een gevoelskwestie die door de ouders, toch allebei psychologen, niet wordt opgepakt.
Misschien, zo vrezen beiden, mist Annelies toch de oude omgeving. De vertrouwde vriendenkring, het contact met de voormalige studiegenoten. Niet dat ze zonder vrienden zit; er is niemand die zo gemakkelijk vrienden maakt als Annelies!
Terwijl ze van haar warme bakje troost geniet, zoeken haar hersens koortsachtig naar een oplossing. Ze heeft in het benedenhuis op de Marktstraat een geweldige behandelkamer, vlak naast haar zit-slaapkamer. Een groot vertrek met een hoog plafond en een deur naar de betegelde achtertuin.
Worstelend met woorden heeft ze geroepen: 'Als ik bij jullie in dienst was, zou ik de locatie geweldig hebben gevonden, maar nu zitten we dagelijks op elkaars lip... jullie blijven mij als "het studentje" zien. Iemand die net begint en alles over de praktijk nog moet leren. Overal verantwoording voor moet afleggen.'
Die woorden kwamen helemaal verkeerd over. En dat was niet haar bedoeling. Ze wilde haar ouders, haar beste vrienden, niet kwetsen.

Dat is één kant van de zaak. En wat betreft het werk is ze ook tevreden. Sinds kort werkt ze samen met een psycholoog die door de scholen in de omtrek wordt ingeschakeld als er problemen zijn. Hij zocht en vond een assistente in Annelies. Haar ouders hadden liever gezien dat ze zich beperkte tot hun kleine praktijk. Maar Annelies wil haar vleugels uitslaan, ze zit boordevol energie die een uitweg zoekt. Bovendien: de psycholoog is niet zomaar iemand. Nee, hij is de broer van een van haar nieuwe vriendinnen.
Een overbekende kreet van de ouders: 'Doe dan wat met je stem, als je iets wilt doen naast je werk... Je bent een geboren zangeres. Er zijn toch genoeg koren in de omgeving die om een soliste zitten te springen!' Haar twee liefdes: kinderpsychologie en zingen. Maar als haar ouders het zeggen, komt het op haar over als een zoethoudertje.
'Nog een kopje koffie, mevrouw?'
'Graag!'
Bijna zes uur, ze schrikt ervan. Het winkelmeisje zet een nieuw kopje voor haar neer. 'Zolang er nog klanten zijn, sluiten we niet, hoor. Drink de koffie maar rustig op.'
Af en toe krijgt Annelies een knikje of wordt ze door een klant herkend. Leuk vindt ze dat.
Daar, een jong meisje met een grote boodschappentas in haar hand. Ze verdrinkt bijna in een met bont afgezette winterjas. Eveline Schreurs, een kind dat ze weleens bij een vriendin heeft ontmoet. Haar stiefmoeder mag ze ook tot haar nieuwe vrienden rekenen.
'Het brood was besteld!' zegt ze tegen het winkelmeisje. 'Speltbrood!' Ze hipt ongeduldig van de ene voet op de andere.
'Jaja, dat klopt. Momentje, ben zo terug!'
Terwijl het kind wacht, knoopt een oudere dame een gesprekje met haar aan, en onwillekeurig luistert Annelies mee.
'Is de verdieping boven de boekwinkel nu klaar? Als ik erlangs kom, zie ik nooit meer de auto van de aannemer staan. Gaat je vader het appartement verhuren?'

Eveline plukt aan het bontrandje van haar capuchon. 'Jaja. Alleen, zegt mijn vader, als ze iemand vinden die rustig is. Hij wil geen gedoe boven de zaak.'
Daar kan de oudere dame inkomen. Ze begint over de 'jeugd van tegenwoordig', zonder te beseffen dat ook Eveline Schreurs daarbij hoort. 'Als ik niet zo aardig woonde, zou mij dat appartement ook wel wat lijken. Maar ja, er zit natuurlijk geen lift in en als mijn benen nog strammer worden...'
Eveline lijkt opgelucht te zijn dat het winkelmeisje terugkomt met een papieren tas met het bestelde brood. 'Op de rekening!' zegt Eveline en als ze naar de deur loopt, groet ze beleefd, zoals haar is geleerd.
Als de winkeldeur achter haar dichtvalt, zijn de klant en het winkelmeisje het met elkaar eens.
'Lief kind. Ze boft maar met die tweede moeder van haar...'
'Zeker weten. Haar biologische moeder is hier weleens in de winkel geweest. De duurste bonbons waren in haar ogen nog niet goed genoeg. Ik heb horen vertellen dat de vrouw waar de boekhandelaar nu mee is getrouwd, zwanger is.'
Annelies zoekt in haar portemonnee naar kleingeld en loopt ermee naar de toonbank. Zo, dus dat vrouwtje, Sigrid, is in verwachting. Voor Annelies, die zowel Sigrid als de vader van Eveline weleens heeft ontmoet, is het een nieuwtje.

Als ze even later de winkel verlaat, wordt de deur achter haar op slot gedraaid. Zou de boekwinkel ook al dicht zijn? Ze kan even kijken... het is maar een paar panden van de bakkerszaak verwijderd.
Haar hakken maken een ritmisch geluid, dat kon zo dienen als begeleiding voor een tophit, bedenkt ze. Of een hartritme.
Zo te zien heeft Thijmen Schreurs nog een klant. Annelies duwt tegen de deur, die vlot opengaat. De klant kijkt om, Thijmen rimpelt zijn voorhoofd. Annelies groet en zegt niets nodig te hebben.

De klant zegt gedag en haast zich naar buiten. Annelies is buiten adem, alsof ze hard heeft gelopen. Thijmen herkent haar. 'Niets nodig, hoe moet ik dat verstaan?' Hij maakt een armbeweging richting volle wanden en tafels, waar de laatste uitgaven opgestapeld liggen.
'Ik hoorde dat jullie de bovenverdieping hebben opgeknapt. En dat die... heb je al een huurder?'
Thijmen schudt zijn hoofd, bekijkt belangstellend de jonge vrouw aan de andere kant van de toonbank. Rode blossen, een bos warrig haar, maar de glimlach die normaal gesproken om haar mond lijkt geëtst, is afwezig.
'Sigrid heeft het appartement vanmiddag "gereed" verklaard. Ze is er druk mee geweest. Het was haar idee om de ruimte een zinvolle bestemming te geven. Voor opslag heb ik 'm niet nodig, het magazijn achter is voldoende. Groot gelijk had ze, het is geweldig geworden. Waarom je vraag?'
Annelies hakt een knoop door en probeert haar kalmte te herwinnen. 'Hoe zal ik het zeggen? Tot nu toe was ik tevreden met mijn kamers in de Marktstraat. Het is een geweldig pand. Maar ik ben toe aan een ruimte voor mezelf die ik naar mijn eigen idee kan inrichten. Als ik thuis blijf wonen, kan ik het werk nooit van me afzetten.' Ze geeft zichzelf een compliment om die laatste zin. Een goede vondst: thuiswonend zou ze haar werk niet van zich kunnen afzetten. Prima reden om te verhuizen, een schouderklopje is op zijn plaats. Het is ook nog waar, al is het niet de kern van het probleem.
Thijmen knikt. 'Dat is ook de reden waarom ik toen ik de zaak hier kocht, in het nabijgelegen dorp wilde wonen en niet boven de winkel. Was ook voor Eveline leuker en zeker nu ik hertrouwd ben, zou het boven te klein voor ons zijn. Wil je even een kijkje nemen?'
Annelies voelt zich bezwaard. 'Joh, het is al na zessen. Zal ik morgenochtend langskomen? Ik zou om halftwaalf kunnen!'
Thijmen zegt dat het prima is. Hij loopt met haar mee naar de deur.

'Hoe wist je van het appartement? Ik heb nog niet eens geadverteerd.'
'Tamtam! Praatje opgevangen in de bakkerswinkel waar je dochter een brood kwam halen. Een oudere dame informeerde bij Eveline of het appartement al klaar was. Zodoende. Mensen in een klein stadje als dit weten alles van elkaar. Het lijkt wel een dorp!'
Dat is Thijmen met haar eens. 'Prettige avond, Annelies. Groeten thuis en tot morgen dan maar.'
Weer een winkeldeur die achter haar op slot gaat.
Het wordt rustig op straat, nu de winkels gesloten zijn. Het personeel van een bloemenboetiek is nog druk in de weer met het binnenhalen van de tentoongestelde planten die duidelijk bestand zijn tegen de winterse koude.
Annelies wacht tot een bus is gepasseerd en steekt dan over. Tussen twee winkels is een smalle, onverlichte steeg die in het donker iets griezeligs heeft. Het is de kortste weg, overdag loopt Annelies het liefst dwars door een warenhuis heen om er aan de andere kant weer uit te wandelen.
Ze vist de sleutel uit haar zak en loopt de paar treden naar de voordeur van het huis waar ze zich maar niet thuis kan voelen. Het pand is precies geschikt voor het doel dat haar ouders voor ogen hadden toen ze het bezichtigden. Praktijk aan huis, ruime werkkamers en privévertrekken die aan hun vele wensen voldeden.
Annelies vindt het meer een woning om met een groot gezin in te wonen. Kindervoetstappen in de brede gangen, boven en beneden. Een trapleuning waar ze als kind van af had willen glijden.
Ze ruikt etensgeuren die uit de keuken ontsnappen. Ze hangt haar jas in de garderobekast en voor de gangspiegel fatsoeneert ze haar kapsel. Ze dwingt haar mond tot een glimlach.
'Ben je daar? Net op tijd. We eten in de keuken, Flip heeft vanavond een vergadering met een deskundige op het gebied van de invloed van bestrijdingsmiddelen op groente en fruit. Denken we dat we op de hoogte zijn, maar er valt altijd weer méér te ontdekken! Roep hem

even, wil je?'
Rode kool met appeltjes. Vers van een boerderij waar onder andere groenten worden geteeld. Alles biologisch, moeder Annie zal niet iets op tafel zetten wat ze wantrouwt.
De harde woorden die eerder op de dag van weerskanten zijn gevallen, lijken vergeten. Annie vertelt over een patiënt die het liefst drie keer in de week een afspraak zou willen maken. 'Ze dreigt om voor de ik-weet-niet-hoeveelste keer een nieuwe therapeut te zoeken. Het arme mens.'
De tafelgesprekken gaan altijd over het werk. De ouders van Annelies zijn er dag en nacht mee bezig, vullen elkaar aan en denken met de ander mee. Momenteel wordt er hard aan een boek gewerkt over de invloeden die bepaalde voedingsmiddelen op het gedrag van kinderen kunnen hebben. Veel is daar al over bekend én gepubliceerd. Maar volgens Annie en Flip moeten de nieuwste ontdekkingen op dat gebied nog bekend worden.
De rode kool met gebakken appeltjes is heerlijk van smaak. Opeens bedenkt Annelies dat ze zelf amper kan koken. Nou ja, studentenmaaltjes, die kan ze maken. En ze verstaat als geen ander de kunst van het 'magnetronnen'. Een begrip dat meteen zodra het is geuit, door iedereen die het hoort wordt begrepen.
Ze zal voor zichzelf moeten koken. Aangenomen dat het appartement boven de boekwinkel compleet is: keuken, badkamer en de rest. De was, ook zo'n punt. Ze kan haar spullen onmogelijk door haar moeders hulp laten doen. Al met al belooft het een uitdading te worden!

De volgende dag is het nog kouder. De lucht is dreigend, het wolkendek belooft sneeuw. Annelies heeft die ochtend twee afspraken. Beide gevallen gaan om aanpassingsproblemen van kinderen op school. Als zo vaak krijgt ze te horen: 'U bent onze laatste hoop... we zien het niet meer zitten!'

Annelies weet van zichzelf dat ze een talent heeft om met zowel de ouders als met het probleemkind om te gaan, ook al wordt er niet zonder meer succes geboekt. Luisteren, dat is een talent dat haar is aangeboren.
Na het maken van nieuwe afspraken drinkt ze in de keuken staand een kop koffie. Daarna schiet ze haar jas aan. Muts en sjaal zijn geen overbodige luxe. De eerste sneeuwvlokken vallen zodra ze goed en wel bij het warenhuis is, waar ze doorheen loopt zodat ze snel in de straat aan de andere zijde is.
Een eigen onderkomen, net als toen ze nog studeerde. De eerste twee jaren na het behalen van het atheneumdiploma heeft ze thuis gewoond: goedkoop, dichtbij, gemakkelijk. Daarna boden vriendinnen haar een kamer aan in een huis dat door de vader van de één was gekocht. Leuke tijd was dat. Soms verlangt ze terug naar die periode, waarin alles nog mogelijk leek.
Ze loopt langs de bloemenboetiek. Veel staat er niet op de stoep uitgestald. Struikjes die op kleine dennenboompjes lijken in vrolijk beschilderde potten. Winterhard. Ook nog heide en een gewas dat ze niet kan thuisbrengen.
Toch wel gemakkelijk om in het winkelcentrum te wonen. Gezellig ook, vindt ze. Daar, het uithangbord van boekwinkel Het Kompas. De etalage is zoals gewoonlijk een blikvanger. Ze herinnert zich dat de vrouw van Thijmen, Sigrid, voor haar huwelijk etaleur is geweest. Eenmaal in de winkel snuift ze met welbehagen de geur van boeken op. Papier en drukinkt. Kantoorboekhandelluchtje.
Thijmen is met een klant bezig. Hij excuseert zich een moment en vraagt of Annelies op eigen houtje boven wil kijken. Zijn klant heeft haast en moet nog een lange lijst afwerken.
'Natuurlijk. Heb ik nog een sleutel nodig?'
Thijmen zegt op zachte toon dat, voor het geval ze tot overeenstemming komen, ze de sleutel van het magazijn krijgt zodat ze achterom binnen kan komen. 'En deze sleutel is van de deur boven aan de trap.

Ik kom zodra ik klaar ben!'
'Ik red me wel.' Annelies klautert de trap op die zich tussen de winkelruimte en het magazijn bevindt. Haar hart bonkt van spanning. Een portaal met een paar deuren, waarvan de middelste toegang tot het appartement geeft. O, ze is zo nieuwsgierig.
Als de deur openzwaait, ruikt ze de nieuwigheid. Verf, vloerbedekking, hout. Een kleine hal, waar enkele deuren op uitkomen. Ziedaar, de woonruimte. Een vertrek dat aan de ene kant op de winkelstraat uitkijkt, en aan de andere kant zicht heeft op parkeerplaatsen en een park.
Aan de voorkant is de vloer verhoogd, waarschijnlijk om verschillen in de oorspronkelijke hoogte op te vangen en een doel te geven. Misschien zitten er leidingen onder verstopt. De ramen zijn oude stijl. Waarschijnlijk, zo neemt Annelies aan, een eis van de schoonheidscommissie. Aan de originele gevels mag zelden iets veranderd worden, ook al zou het een verbetering zijn.
Ze houdt haar adem ongemerkt in, blaast dan hoorbaar uit. Fijn om even alleen te kijken, zo zonder Thijmen. Vaste vloerbedekking, bijna haar eigen smaak. Langzaam loopt ze door de vertrekken. Een kleine keuken, groot genoeg voor één persoon. Er staan zelfs een wasmachine en een ingebouwde magnetron. Voor het raam hangt een rolgordijn.
Ze hoort Thijmen de trap op komen, hij roept haar naam. Ze haast zich de deur naar het halletje te openen. 'Welkom! Je bent mijn eerste gast!'
Thijmen grijnst van oor tot oor. 'De boodschap komt over. Fijn dat het je bevalt. Sigrid zei gisteravond al dat ze jou graag als huurster wil hebben. Alles bekeken?'
Alleen doucheruimte nog niet. Ook hier is niets mis mee. Nieuw en uiterst praktisch. 'Echt, het is precies wat ik zoek, Thijmen. Nu de huur. Hopelijk is die betaalbaar!'
Ze komen een bedrag overeen. 'En eh... je krijgt een huurcontract, we

laten het maar meteen ingaan. Wanneer denk je te verhuizen?'
'Daar heb je een punt. Ik zal nog van alles moeten aanschaffen. Ik heb geen zin in tweedehands spul. Het zal wel Ikea worden. Boedelbak achter de auto en klaar ben je.' Annelies kijkt verlangend om zich heen.
Thijmen grijpt zijn mobiele telefoon uit de zak van zijn colbert. 'Kom eraan!' Hij maakt een beweging naar de deur. 'Winkelmeisje belde. Klanten. Als er nog wat te bespreken valt, hoor ik het wel. De sleutel mag je houden.' En weg is hij.
Annelies slaakt een diepe zucht en laat zich op de vloerbedekking zakken. Geleund tegen de deur van een vaste kast overdenkt ze de zojuist gezette stap en maakt in gedachten een boodschappenlijst. Ze moet goed nadenken, zodat ze in één keer alles kan aanschaffen wat nodig is. Overgordijnen, die wil ze beslist hebben, ook al zijn alle ramen van rolgordijnen voorzien. Het is knus om de wereld met een ruk aan een gordijnenkoord buiten te sluiten. Uniek geluid: houten ringen aan dito roeden.
Met moeite komt ze overeind. Dagdromen kost tijd, en tijd is geld. Dat is de visie van haar ouders.
Het geeft een tevreden gevoel om de deur achter zich op slot te doen. Als ze via het magazijn het pand wil verlaten, roept Thijmen haar terug. 'Wacht even, Annelies. Je krijgt nog een sleutel van de achteringang. De magazijndeur.'
Het is even prutsen voor het voorwerp aan de ring bij de sleutel van de etage zit. Thijmen knikt. 'Tot ziens dan maar en succes met de aanschaf van je meubeltjes!'
Blijmoedig stapt Annelies naar buiten. Er ligt al een laagje sneeuw op het terrein achter de winkel. Ze snuift de schone winterse lucht op, het doet haar aan de kindertijd denken. Sneeuw, na school meteen naar huis om de slee te pakken. Dikke pret. Wantjes die na een kwartier kleddernat waren en ze kon altijd rekenen op haar moeder, die droge exemplaren op de verwarming had liggen.

Ze loopt via een parkeerplaats terug naar de winkelstraat. Daar zijn de trottoirs hier en daar al schoongeveegd. Autoverkeer rijdt de sneeuw vast, wat slippartijen oplevert. Nog even en het wit zal veranderd zijn in een grauwe brij.
Het is al lunchtijd als ze het huis aan de Marktstraat binnenstapt. Flip is met een bezem in de weer geweest, ziet ze. Eenmaal in het portaal stampt ze de aangekoekte sneeuw van haar voeten.
'Is het glad buiten?' Mevrouw Steen, de hulp in de huishouding, komt aangelopen. Ze knoopt net haar winterjas dicht. 'Ik zal wel niet kunnen fietsen. Altijd bang om te vallen.'
Annelies zegt dat de gladheid wel meevalt en na een groet loopt ze door naar de keuken.
'Ik had niet gemerkt dat je de deur uit was,' zegt Annie. 'Je ruikt naar de buitenlucht.'
De keukentafel is gedekt voor de lunch en Annelies laat zich op een stoel zakken. 'Het is akelig koud. Wat zullen de kinderen pret hebben als straks de scholen uitgaan!'
Flip komt handenwrijvend binnen. 'Je zou toch bijna al je afspraken verzetten en een lange wandeling gaan maken!'
Koetjes en kalfjes. Annelies is stil, na het gebed smeert ze een broodje en als ze met haar mes maar pindakaas blijft smeren, roept haar moeder haar terug in het hier en nu. 'Waar zit jij met je gedachten?'
Annelies kleurt. 'Ik heb vanmorgen een appartement bekeken. Boven Het Kompas. Je weet wel, de boekhandel.'
Flip knikt heftig. 'Had me gezegd dat je daarheen wilde. Ik moet nog een stapel bestelde boeken afhalen.'
'Appartement, wat moest jij daar?' Annie legt haar bestek neer alsof ze van plan is niet verder te eten.
'Kijken. Ik hoorde bij toeval dat Thijmen Schreurs de verdieping boven de winkel heeft verbouwd en ik wilde kijken of dat iets voor mij zou zijn.'
Stilte, de volle aandacht van de ouders. Vragende ogen.

Annelies slikt even. 'En dat is het. 't Ziet er geweldig uit, nieuw, fris... natuurlijk niet gemeubileerd. Dus dat wordt mijn eerste taak. Ik heb besloten het te huren.'
Annie en Flip kijken elkaar aan. 'Maar je zit hier toch goed? Waarom zou jij je geld uitgeven, terwijl je hier gratis kost en inwoning hebt? Hoe... wat...'
Annelies haalt haar schouders op. 'Gewoon, ik wil iets voor mezelf. Iets wat ik zelf heb uitgezocht. Natuurlijk houd ik de praktijkkamer hier aan, als het tenminste mag. Hoe maak ik jullie duidelijk dat ik zelfstandig wil zijn? Ik... Ik kan toch niet eeuwig op jullie zak teren? Als we niet waren verhuisd, had ik al veel eerder naar een eigen stek uitgekeken, toch?'
Ja maar... zijn ze niet verhuisd juist omdat dit huis uitermate geschikt is voor méér dan twee mensen met de noodzaak van behandelkamers? Studieruimtes, privévertrekken?
Annelies schuift het bordje met haar pindakaasboterham van zich af. 'Snappen jullie het dan echt niet?'
Annie zuigt op de binnenkant haar wangen en knikt. 'Ergens wel, natuurlijk. Maar ik dacht dat we een soort driemanschap vormden. Jaja, ooit zul je wel trouwen en in dat geval...'
Flip klopt Annelies op een schouder. 'Voor zover ik weet is er nog geen prins op het witte paard voor ons huis gestopt. Het zit zo, kind: we waren eraan gewend je bij ons te hebben. Als derde man, zogezegd. Ach, het is niet de eerste keer dat je moeder en ik zo opgaan in ons werk dat we al het andere uit het oog verliezen. Als jij denkt dat je dit moet doen, zet het dan door. Blij dat je in dit stadje blijft en je praktijkkamer blijft gebruiken. Vertel eens iets meer over dat appartement.'
Ze is gauw uitverteld. 'Jullie moeten maar eens komen kijken. Ik verheug me erop meubels uit te zoeken. Dat soort dingen. Daar ben ik echt aan toe.'
De ouders knikken en kiezen ervoor hun dochter de ruimte te geven

die ze blijkbaar nodig heeft. Waarschijnlijk zijn ze te veeleisend geweest. Ze verwachtten dat Annelies net zo enthousiast in haar werk zou opgaan als zijzelf van meet af aan hebben gedaan. Maar wat niet is, kan nog komen.

'Ik heb trouwens een telefoontje gehad van Schutte,' zegt Flip. 'Ron Schutte. Hij is bezig met dat project op scholen. Probleemkinderen, je weet wel.'

Annelies valt haar vader in de rede. 'Ben je vergeten dat Ron en ik al een tijdje samenwerken? We hebben al enkele urgente gevallen in behandeling. Ook al ben ik in naam slechts zijn assistente.'

Haar vader knikt. 'Juist ja, dat is me bekend. Maar waarom hij belde: hij heeft – misschien met jouw hulp? – een soort handleiding samengesteld wat betreft verschillende punten. De observatie, de visie van het onderwijzend personeel, de reeds door anderen, artsen, hulpverleners gegeven adviezen en tot slot de behandeling. Hij vroeg of ik als oudere en man van ervaring de handleiding wilde bestuderen. Adviezen wilde geven, misschien kritiek. Eh... ben je daarvan op de hoogte?'

Annelies trekt haar bordje weer naar zich toe. Ze neemt een hap brood en knikt. 'Natuurlijk. Alleen heeft hij niet gezegd dat hij jouw advies wilde. Snap ik eigenlijk niet. Maar goed, ik vind het best.'

Annie schenkt de kopjes nog eens vol. 'Die Ron staat toch op het punt van trouwen, meen ik?'

Annelies knikt. 'Hij en Ineke zijn echt van die uitstellers. Ze hadden, heeft Ineke me verteld, gelijk met háár broer willen trouwen, de bioboer. Die was verloofd met de zus van Ron. Dubbele bruiloft. Bleek achteraf te ingewikkeld. Dan weer zijn ze te druk, het huis niet op tijd klaar, toestanden op de school waar ze werkt. Dat soort dingen. Maar ik geloof dat de zaak nu rond is. Eerst wilden ze ook op de boerderij gaan wonen, die is ruim genoeg voor twee gezinnen. Maar sinds haar broer en schoonzus een baby hebben, zagen ze van dat plan af en zijn ze op zoek gegaan naar een eigen huis. Hebben ze gevonden, vlak bij de school waar Ineke werkt. Ze wil blijven werken, zoals de meeste vrouwen die tegenwoordig in het huwelijksbootje stappen. Groot gelijk.'

Annie leunt achterover op haar stoel en rommelt met beide handen door het warrig blonde krulhaar, dat hier en daar een zilveren glans begint te krijgen. 'Je hebt sinds we hier wonen toch een paar aardige vrienden gekregen. De broer van Ineke, Arjan en zijn vrouw. Susan, bedoel ik. Zie je haar vaak? Of is ze druk met de baby en haar kinderopvang? Je vader en ik zijn van die einzelgängers. We hebben buiten elkaar niet veel vrienden nodig... we hebben genoeg aan ons werk en wat eruit voortvloeit. Maar jij bent anders, Annelies. Als klein kind hunkerde je al naar de "andere kindjes". Dat zul je wel van mijn moeder hebben, die was net zo.'

Annelies werpt een blik door het keukenraam naar buiten. Het sneeuwt nog behoorlijk. 'Vrienden... als ik op mezelf woon, komt het er misschien vaker van mensen uit te nodigen. Nu kruip ik 's avonds nog vaak achter mijn bureau om een verslag te maken of me voor te bereiden op een nieuw geval. We zien wel...'

Annie en Flip zeggen in tijdnood te komen als ze nu niet meteen aan het werk gaan. 'Strak schema, je kent ons, Annelies! Ruim jij de tafel af, als je tijd hebt? Heb je vanmiddag nog afspraken?'

Annelies knikt. 'Eén maar, daarna moet ik naar de school waar Ineke werkt, in verband met een zwaar probleem. Een kind dat volgens mij niet alleen afwijkend gedrag vertoont, maar ook nog eens niet al te intelligent. Peuter dat de ouders maar eens aan het verstand!'

Terwijl ze de vaatwasser inpakt, ontdekt Annelies dat ze neuriet. Een bijna vergeten liedje over sneeuw. Haar oma zong het vaak voor haar. 'Het sneeuwt, het sneeuwt, het sneeuwt...' Waarom drie keer, oma, vroeg ze zich toen af. Is één keer niet genoeg? 'En wij, wij gaan naar buiten... maar kniesoor blijft in huis...' Annelies grinnikt. Het heeft oma destijds een halfuur gekost om uit te leggen wat een 'kniesoor' voor iemand toch wel is. Pas toen oma zei: 'Denk maar aan opa als hij

slakken in zijn groentetuintje vindt. Dán kijkt hij als een kniesoor', ja, toen begreep ze het eindelijk.
Even later schuift ze achter haar bureau en pakt haar agenda. Niet om de komende afspraken te bestuderen, maar uit te zoeken wanneer ze tijd kan vrijmaken om op meubeljacht te gaan!

# 2

Ron Schutte komt net aanrijden als Annelies haar auto vlak bij de dorpsschool heeft geparkeerd. Met soepele bewegingen stapt hij uit zijn wagen, graait een paar mappen van de achterbank en stapt met grote passen richting Annelies.

Aantrekkelijke kerel, vindt ze, Ineke Slot boft maar. Jawel, ze is jaloers op Ineke. Soms moeilijk om niet te laten merken. Ze steekt een hand op en loopt op hem toe.

'Ja, gelijk heb je, het is koud!' Ron grijnst, geeft een knipoog.

'Je haalt me de woorden uit de mond.' Annelies zet het op een holletje en is als eerste bij de deur.

Ze lopen langs de lokalen, Ron gluurt door een bovenraampje van de ruimte waar zijn Ineke druk in de weer is. Hij tikt met zijn ring kort tegen het glas, genoeg voor Ineke om te reageren. Ze haast zich naar de deur, even tijd voor een gehaast kusje.

Annelies loopt door, ze kent de weg. Een vrouw die in de oudercommissie zit, zegt dat ze thee zal brengen. Annelies ontdoet zich van haar jas, hangt hem aan een kapstok en glipt het kantoortje in.

Ron voegt zich snel bij haar en al gauw zijn ze verdiept in dat waar ze voor zijn gekomen. Af en toe vult Annelies hun mokken bij met thee, ze hebben deze keer een volle pot gekregen.

Na een klein uurtje leunt Ron achterover. 'Weet je, Annelies, wat mij aan het denken zet? We bemoeien ons met de probleemkinderen, zoeken samen met personeel en ouders naar oplossingen. Het liefst zonder medicatie. Maar eigenlijk spannen we het paard áchter de wagen...'

Annelies zet haar mok met een klap terug op de glazen tafel. 'Gelijk heb je. We moeten bij de ouders beginnen. Vaak moeten die het eerst opgevoed worden. Kennis wat betreft het gedrag van hun kind ontbreekt maar al te vaak. Wanneer de symptomen bij de kinderen zich manifesteren, is het vaak al te laat. Hoe denk je dat aan te pakken?'

Ron leunt achterover, zijn ene voet over het dijbeen, terwijl hij onrustig met zijn pen een ritme tikt. 'Op een speelse manier misschien. Voorlichting. Ouders coachen. Misschien kunnen we het personeel inschakelen, om te beginnen bij deze school. Ik heb het er al met Ineke over gehad. Ze is het met me eens, weet je. Ouders doen vaak echt hun best, we moeten over opvoeden niet te gering denken. Ze kunnen zelfs té goed hun best doen. Er is een meisje bij Ineke in de groep dat zo overdreven wordt behandeld. Alle deurknoppen in huis op kinderhoogte, om wat te noemen. Toiletpot zelfs verlaagd, leuk voor de nogal lange vader. Wat niet aangepast kan, wordt voorzien van een hulpmiddel: stoofjes of krukjes bij het aanrecht. Ouders passen zich volledig aan het kind aan. Zien het naar de ogen. Overleggen waar regels nageleefd moeten worden, in plaats van regels zonder meer vast te stellen. Hoe breng je zulke mensen op het goede spoor?' Als hij opmerkt dat die manier van opvoeden ook nogal kostbaar is, denk aan de toiletpot die moet meegroeien, lachen ze beiden.

Maar al snel worden ze weer serieus. Annelies knikt. 'Het eerste het beste tijdschrift, meestal vrouwenbladen, heeft wel opvoedkundige adviezen. Heb ik het nog niet eens over de vakbladen, waar ook onzin in kan staan. Ouders moeten zélf aankloppen als er hulp nodig is. Dus ik denk aan een laagdrempelige mogelijkheid. Om te beginnen zouden we over een eigen locatie moeten beschikken. Want stel dat je hier in het schoolgebouw spreekuur zou houden, dan wijzen de mensen elkaar na. Zo van: "Wat heeft die hier te zoeken, kunnen ze Jantje en Pietje niet aan?" Komt bij: is er hier in de omtrek al niet zoiets?'

Ron zegt van niet. 'Ik ben op zoek gegaan, maar nee, een opvoedkundig bureau zoals ik in gedachten heb, zit hier niet. Wel een afdeling een paar steden verderop. We zouden moeten beginnen met voorlichtingsavonden. Gelegenheid om vragen te stellen. Nu denk ik aan de schoolartsen. Bij hen storten ouders nog weleens hun hart uit.

Vanwege de afstand... anoniem, begrijp je?'
Annelies fronst haar wenkbrauwen, haar gedachten slaan nog net niet op hol. Ze wil te veel uitroepen en te snel haar mening geven.
Uit de gang klinken geluiden op, kinderen die hun jas aantrekken, vermaand worden door een leerkracht.
Peinzend zegt Ron, alsof hij hardop denkt: 'Grotere kinderen kun je uit de tent lokken, door opstellen over een thuisonderwerp te laten schrijven. In de hoop dat ze zich blootgeven als er problemen spelen. Bij de kleintjes is dat onmogelijk, ben je aangewezen op tekeningen. Kan ook wat opleveren.'
Annelies knikt enthousiast. 'Observatie. Kijken en luisteren als ze in de poppenhoek spelen. Of met een poppenhuis. Ja, dan hebben we de leraren nodig. Zou geweldig zijn als we de zware problemen kunnen voorkomen, toch?'
Gejoel op het schoolplein, wachtende ouders bij het hek. Annelies wijst met haar pen naar buiten. 'Daar zou je tussen moeten staan als spion. Horen wat de vaders en moeder zoal uitwisselen over de gedragingen van hun kroost!'
Er klinkt een tikje op de deur en de schooldirecteur stapt naar binnen. In zijn hand heeft hij paperassen. Pelle Haagen, een gedreven man. 'Ik heb jullie hulp nodig, mensen, voor een paar nieuwe gevallen. Er is in het dorp een gezin komen wonen dat nogal asociaal is. Vader werkloos, als ik het goed heb, losse handjes en trouw cafébezoeker, moeder komt bijna de straat niet op. Hebben jullie nu tijd om aan te horen waar wij als personeel tegenaan lopen?'
Dat hebben ze.
Annelies beseft heel goed dat juist dit soort mensen er niet over denkt aan te kloppen bij een therapeut. Om nog maar te zwijgen over het accepteren van adviezen.
'Groot gezin, in iedere groep zit er wel één!' zegt Pelle.
Ron informeert of er ook door hun vorige school berichten zijn meegekomen. 'Aan alleen de rapporten heb je niet veel.'

'Daar heb je een punt. Niet dus!' Pelle Haagen maakt aantekeningen. Annelies en Ron hebben een moment oogcontact, begrijpen elkaar zonder woorden. 'Juist!' knikt Ron en hij verwoordt wat Annelies denkt: 'We zitten te brainstormen om ons als opvoedcoach op te werpen. Denk eens met ons mee, Pelle. Ik heb het er al met Ineke over gehad. Zij dacht aan een ouderavond, om te beginnen. Een laagdrempelig gebeuren. Ik besef ook best dat lui zoals die nieuwelingen er niet over denken hulp in te roepen. Ze zien niet eens, denk ik, waar ze fout zijn.'
Ze horen een tikje tegen het raam dat op de gang uitkijkt. Ineke kijkt glunderend naar Ron en zegt iets onhoorbaars. Ze heeft haar jas aan, haar gezicht bijna verstopt achter het bont van een capuchon.
Pelle kijkt op. 'Nu al weg? Het is nog geen kwart voor vier... ik ben nog minstens drie kwartier bezig voor ik naar huis kan!' Het komt er op geïrriteerde toon uit.
Ron grinnikt, zegt te kunnen liplezen. 'Nou ja, wat betreft Ineke... ze mimede dat ze op huisbezoek gaat!'
Pelle is zo fatsoenlijk om een kleur te krijgen. 'Nou ja, dan heb je de tijd wel nodig. Als je hier in het dorp te laat in de middag op de stoep staat, ben je niet echt welkom. Etenstijd en zo.'
Annelies werpt een blik op haar horloge. Jammer dat ze Ineke niet even kan spreken, ze had graag over haar nieuwe huis verteld.
'Wat kunnen we doen, Pelle? Algemene adviezen? Wil je dat we een keer tussen de middag met jou, Ineke en Bram Baan praten over details van aanpak?'
Pelle slaakt een zucht en zegt dat collega Bram Baan het zwaar heeft met de dubbele klassen. 'Driedubbel, zeg maar. Groep vier, vijf en zes... we hopen op korte termijn meer leerlingen te verwelkomen. Het is wachten tot het nieuwbouwwijkje bevolkt is. Maar dan nog... veel ouders rijden liever een stukje om hun kroost naar de brede school in de stad te brengen.'
Annelies kent het probleem. 'Waarom ben je ze niet voor, en neem je

contact met de bewoners op voordat ze hier gesetteld zijn. Nodig ze uit om op school te komen kijken. Ik denk dat je bij het gemeentehuis best medewerking krijgt als het om namen en adressen gaat.'
Pelle zet grote ogen op. 'Jij hebt ideeën! Het is te proberen.'
Ron schuift zijn papieren bij elkaar en stopt ze terug in de mappen.
Pelle gaat staan. 'Willen jullie dat doen? Een minivergadering over de familie Hartjes? Dan wacht ik eerst af wat ik van hun vorige school te pakken kan krijgen. Heeft Ineke nog niet geklaagd dat ze vreest dat die kinderen luizen hebben? We gaan van die capejes aanschaffen voor de kapstokken. Kunnen de kinderen hun jassen en andere eigendommen onder stoppen om te voorkomen dat het ongedierte zich verplaatst en uitbreidt. Nu stoppen ze hun jassen in een plastic tas aan de kapstok, maar dat werkt niet goed.'
Ron grijnst en krabbelt op zijn donkere kuif. 'Nu je het zegt...'
Annelies zegt haastig dat bij een luizenuitbraak iedereen getroffen kan worden. 'En het komt heus niet per se van een van de kinderen Hartjes als zo'n uitbraak wordt gesignaleerd!'
Annelies is de eerste die haar jas pakt. 'Ik werk de gegevens uit die je me hebt gegeven, Ron. Die krijg je zo gauw ik klaar ben en ondertussen denk ik verder over een opvoedkundig bureau. Het zou zoiets als een consultatiebureau moeten zijn, zoals je voor peuters en baby's hebt. Verplicht of gewenst. Een gesprek koppelen aan het schoolartsbezoek.'
Pelle protesteert. 'De school moet niet onnodig belast worden met dit soort nevenactiviteiten. Ik hoor mijn personeel al mopperen!'
'Komt goed,' beweert Ron goedmoedig. 'Voorlopig is het nog brainstormen, Pelle. En uiteindelijk komt het 't onderwijs ten goede. Denk maar met ons mee, man!'
Annelies zet de kraag van haar jas op. Uit ervaring weet ze dat Pelle Haagen eindeloos kan doorzeuren als een onderwerp dat hem boeit, aan bod komt. 'Ik groet jullie... Ron, doe Ineke de groeten en als je haar straks ziet, zeg dan dat ik gauw bel met leuk nieuws!' En weg is ze.

Het begint al te schemeren en de wolken schudden zich uit: nog meer sneeuw die blijft liggen.
Annelies stapt in haar auto, probeert haar gedachten te ordenen. Eerst dat wat besproken is uitwerken, er een rapport van maken en ondertussen doordenken over de plannen van Ron, die haar aanspreken.
Ze start de auto, rijdt slippend weg. Daar, op de hoek, het huis van Ron en Ineke, dat nog in de steigers staat. Twee nogal verouderde woningen worden samen één groot en modern huis. Ineke kan in de toekomst te voet naar haar werk, bedenkt Annelies. Als ze blijft werken, en niet de zorg voor de kinderen voor haar rekening neemt.
Ze rijdt door het dorp terug naar de provinciale weg. Bij de bungalow waar boekhandelaar Thijmen met zijn gezin woont, mindert ze vaart. Eveline en haar stiefmoeder Sigrid lopen de tuin in, terwijl ze elk een hengsel van een zo te zien zware boodschappentas torsen.
Ze passeert onopgemerkt. Ooit was Eveline kind van gescheiden ouders, dus twee verschillende eenoudergezinnen. Daar heeft Ron voor Annelies hem leerde kennen, een studie van gemaakt. Ze bewondert zijn manier van werken. Consequent, maar toch ook openstaand voor de mening van anderen. Ja, Ineke boft met een man als Ron.
De weg wordt glad, het is uitkijken geblazen. Kinderen dollen in de sneeuw, trekken zich van de koude niets aan. Daar, een oudere vrouw die bijna niet staande kan blijven. Als Annelies naast haar rijdt, herkent ze het figuurtje. Ze draait het raampje omlaag. 'Wilt u een lift, juffrouw Berkhout? Het is spekglad aan het worden.'
De aangesprokene blijft aarzelend staan. 'Het is nog even lopen... ik had niet verwacht dat het weer zo hard zou gaan sneeuwen. Eigenlijk lijkt het me wel prettig als ik mee kan rijden.'
Annelies stapt uit om het portier voor de oud-schooljuffrouw te openen. 'Tjonge, wat een zware tas.'
Juffrouw Berkhout lacht kakelend. 'Gelijk heb je. Allemaal prentenboeken. Die spaar ik, moet je weten. Ik hoorde van een kennis over

een vrouw die in het zorgcentrum gaat wonen en voor haar boeken een adresje zocht. Zodoende heb ik uitgaven gevonden waar ik al langer naar op zoek was. Ik maak mijn series graag compleet.'
Annelies knikt en rijdt langzaam. De weg wordt met de minuut minder betrouwbaar. 'U bent dus een verzamelaar! Rupsje nooitgenoeg?'
Weer dat lachje. 'Ik bewaak mijn grenzen. Kijk nou toch, ik ben al bijna thuis. Bedankt, meisje!'
Annelies wil helpen de tas naar binnen te sjouwen. Als een vrouw van de leeftijd van juffrouw Berkhout komt te vallen, is een heup zó gebroken. Maar kijk, daar komt al hulp in de vorm van haar huurder. Lars Schutte, de broer van Ron. Annelies krijgt haast, ze wil deze man het liefst ontlopen.
Hij is musicus, de laatste tijd nogal succesvol. En hij is op zoek naar een zangeres die in zijn muziekgroepje past. Ooit heeft ze voor hem gezongen, nieuwsgierig als ze was naar zijn oordeel over haar stem. Hoewel hij enthousiast was, ging zijn voorkeur toch uit naar Sigrid, Thijmens vrouw. Jawel, zij was ingezongen, kende het repertoire tot in de finesses.
Bedankt, maar ze had toch al geen belangstelling. Ook al zingt ze graag en goed, ze houdt niet van het soort muziek dat Lars en zijn bandje brengt. Hij noemt het gospel, maar het schijnt dat ze met oudere liederen in een nieuw jasje veel succes hebben. Ach, ze kan toch niet zingen over onderwerpen die haar niets zeggen.
Zodra juffrouw Berkhout het autoportier dicht heeft gegooid, drukt Annelies op de claxon en rijdt al slippend weg. Lars Schutte heeft het nakijken.
Ze mindert vaart, want het is duidelijk dat de buitenweg waar zij zich op bevindt, niet is gestrooid. Pas na de rotonde kan ze gas geven. Het is verleidelijk om bij haar toekomstige woning langs te gaan, maar gezien het tijdstip – bijna etenstijd – doet ze er beter aan door te rijden naar het huis aan de Marktstraat.

Annelies heeft al de nodige ervaring als kindertherapeute. Om van de theoretische kennis maar te zwijgen. Dat náást de praktijk, waar ze het meeste heeft geleerd.
Allerlei gedachten stormen door haar hoofd. Ten eerste zullen ze een website moeten opzetten waar mensen gemakkelijk informatie kunnen vinden. Ze ziet de openingskreet al voor zich: 'Opvoeden gaat niet vanzelf.'
Ja, zij en Ron zullen aan de weg moeten timmeren. Goed dat Pelle Haagen wil meewerken. Als er één schaap over de dam is, volgen er meer. En natuurlijk zullen ze een locatie moeten vinden. In principe is er nog ruimte te over in de woning aan de Marktplaats. Kan ze dat wíllen, terwijl ze zelf vertrekt? Haar eigen kamers komen als ze is verhuisd, vrij. Als ze die bij de praktijkruimte trekken... Of denkt ze nu te klein?
Eenmaal aan tafel, met haar ouders, komt het gesprek vanzelf op de plannen van Annelies. Ze is nu eenmaal loslippig, kan moeilijk plannen verzwijgen.
'Opvoedcoach? Tja, je begint bij de ouders, daar zit wat in. Veel narigheid kan voorkomen worden, dat is bewezen. Hebben de plannen al vaste vorm?'
Annelies denkt vooruit. 'Alles zit nog in onze hoofden. Als de scholen in de omtrek willen meewerken, hebben we het plan in een mum van tijd rond. Misschien moeten we de directeuren eens uitnodigen. Al weet ik van tevoren dat sommigen vinden dat ze al werk genoeg hebben aan het vervullen van hun eigen taak.'
'Gelijk hebben ze!' vindt Flip. 'Jullie moeten alles goed overdenken. Er komt meer bij kijken dan je op het eerste gezicht denkt, meisje!'
Annelies reageert luchtig. 'Dan kan ik nog altijd mijn wijze en ervaren ouders om raad vragen, toch?'

Annelies heeft niet voor het weekend tijd en gelegenheid om aandacht aan haar nieuwe onderkomen te schenken. Ze heeft zich thuis

laten ontvallen dat ze haar meubeltjes in een woonwarenhuis wil uitzoeken. Toen kreeg ze onverwachte raad van haar ouders: 'Wij, als ouders, willen je hierbij graag helpen, Annelies. Dat hebben je vader en ik bedacht.'
Even is daar een schrikbeeld: moeder en dochter, samen op strooptocht. Annelies meent zeker te weten wat de smaak van Annie is en kent haar overredingskracht. 'Kwaliteit wint het altijd van dat wat goedkoper is.'
Het zal niet bij een financiële schenking blijven, weet Annelies. 'Ik weet niet... jullie hebben vanwege de verhuizing toch al genoeg uitgegeven. Misschien is het beter...'
Maar ze ontkomt er niet aan. 'We gaan eerst hier in de stad neuzen. Er zijn minstens twee goede meubelzaken en wij vinden dat we zo veel mogelijk ons gezicht in de winkels uit de omgeving moeten laten zien.'
Dat vindt Annelies een antieke instelling.
'Zaterdagochtend gaan we rondkijken,' bedisselt haar moeder. 'Je hoeft toch niet meteen te beslissen!'
Voor het zover is, wil Annie de bovenverdieping van Het Kompas bezichtigen. 'We gaan met de auto, want de twee zaken die ik bedoel liggen ver uit elkaar. En als jij nu eens wat vrolijker zou kijken, Annelies, maak je mij ook gelukkig. Vanochtend zei ik nog tegen Flip: "Wat boffen wij toch dat ons enig kind bij ons in de buurt woont." Je had ook in de Randstad kunnen blijven of een enkeltje naar Amerika nemen!'
Het is in elk geval duidelijk dat Annie en Flip het feit dat Annelies 'op zichzelf' wil wonen, geaccepteerd hebben. Annelies knikt maar eens. Nu zou ze kunnen reageren met: 'En ik bof dat ik ouders heb die mij met een nieuwe start willen helpen!'

Annie rijdt voorzichtig over de nog steeds glibberige straten. Er is nog meer verse sneeuw gevallen en volgens de weerberichten blijft

de koude aanhouden.
'Kijk nou toch, er wordt op de gracht geschaatst!' Twee van de drukste winkelstraten worden door een gracht gescheiden. Het is een echt Hollands tafereel. 'Vanaf de gracht zullen wel langere tochten gemaakt worden, denk ik... in de zomer organiseert de VVV toch ook boottochtjes? Leuk is dat! Kan ik uit mijn raam het gedoe gadeslaan!' stelt Annelies tevreden vast.
Ze wijst haar moeder waar te parkeren, achter de winkels via een smal straatje. 'Daar staat je auto veilig.'
'De boekhandelaar heeft toch een dochtertje, meen ik, een kind met problemen?'
Annelies opent het portier aan haar kant en zwaait haar benen naar buiten. 'Niet echt een probleemkind. Ron heeft destijds een onderzoek gedaan naar kinderen uit eenoudergezinnen. Maar dat is verleden tijd nu Thijmen en Sigrid elkaar gevonden hebben. Ze krijgen dit najaar ook nog een baby. Kan Ron een nieuw project starten: samengesteld gezin en dáár problemen opsnorren. Leeftijdsverschil, dat soort dingen. Ik geloof trouwens dat het in dit gezin goed gaat.'
Annie bestudeert de gevel. De achterkant van de winkels is altijd heel wat minder fraai dan de voorkant, vindt ze. 'Moet jij via de achterdeur naar binnen?'
Annelies knikt. 'Door het magazijn. Daar is de trap. Waarom zou ik door de winkel willen, dit is wel zo vrij.'
Annie proeft de verdediging in de toon waarop Annelies haar vraag beantwoordt. Ze lopen achter elkaar naar boven en als ze in de kleine hal staat, is haar moeder verrast. 'Het ziet er keurig uit. Afgewerkt, zal ik maar zeggen.'
Annelies gooit de deur van de woonkamer open. 'Kom binnen!'
Annie loopt meteen naar het voorraam, vanwaar ze inderdaad de schaatsliefhebbers kunnen gadeslaan. 'Wat ga je met dat verschil in vloerhoogte doen? Wel aardig, maar als het een functie heeft, zou het

nog leuker zijn. Misschien kussens in de erker, geen zitkuil maar het tegenovergestelde?'
Annie geeft waar ze kan adviezen. Dit zou hier kunnen, dat daar. 'En je piano, meisje, kun je die hier hebben? Wat voor buren krijg je?'
Annelies schudt haar hoofd. 'Zou ik niet weten. Ik bedoel: rechts zit een kledingzaak en als ik het goed heb, gebruiken ze de bovenverdieping voor opslagruimte. En aan de andere kant zit Haringa, de winkel met huishoudelijke spullen. Best kans dat daar niemand in de avonduren is, dan kan ik dus naar hartenlust rammelen!'
Annelies' gedachten schieten naar de kostganger van de oude juffrouw die ze een lift gaf, enkele dagen terug. Lars Schutte, de broer van Ron. Aardige kerel, niks mis mee. Mits hij haar met rust laat en niet aanhoudend zeurt over dat wat hij haar 'zangcarrière' noemt. Ze heeft bewust voor de studie psychologie gekozen. Jawel, haar stem is redelijk geschoold zonder dat het geforceerd klinkt. Ze is een natuurtalent. Maar wie kan met zingen zijn of haar brood verdienen? Dat zijn er maar weinigen. Terwijl ze zich nu behoorlijk kan redden en zelfs in staat is plannen te maken, te groeien in haar vak.
Ze weet inmiddels dat de stiefmoeder van Eveline, Sigrid, niet tegen de verleiding bestand was en zich liet overhalen mee te zingen in de band van Lars. Sigrid heeft een zuivere stem, die volgens haarzelf past in een koor of een kwartet. Beslist geen sologeluid.
Het tweede minpunt, wat Annelies betreft, is de keus van de muziek die ze ten gehore brengen. Lars zat in het verleden in de popmuziek, hij en zijn bandje waren nog succesvol ook. Tot Lars het roer omgooide, naar zichzelf op zoek ging. Zijn zus heeft het gebeuren tot in details verteld.
Lars had én heeft contact met een voormalig popzanger, die veel werd gevraagd. Dennis Versa is zijn artiestennaam. Ook Annelies wist te waarderen wat en hoe hij zong. Tot opeens radiostilte hem letterlijk en figuurlijk buiten beeld zette.
Susan, de zus van Lars en Ron, wist te vertellen dat beide jongeman-

nen nu succes hebben met religieus getinte liederen. 'Allemaal uit de oude doos, van die meezingmuziek, bekend bij jong en oud. Vooral bij die laatste leeftijdscategorie zijn ze geliefd als wat. Ieder weekend volgeboekt, kerken, samenkomsten, jeugdweekenden... overal worden ze gevraagd.'
*Op die heuvel daarginds, staat een ruw houten kruis...* Nog hoort ze Susan zingen. Jaja, mensen als haar eigen grootmoeder, die kende die versjes uit haar hoofd en vandaar dat ze Annelies niet geheel onbekend zijn. Maar om dat te zingen... *het symbool van vervloeking en schuld...* Woorden die haar niets zeggen. Nee, ze kan moeilijk gaan huichelen en een vroom gezicht opzetten. Uit volle borst zingen. Het zou een aanfluiting zijn.
Annelies staat nog uit het erkerraam te staren, terwijl haar moeder keurend door het appartement wandelt, haar mening geeft en met ideeën komt. 'Luister je wel? Ik weet een enige winkel voor accessoires. Daar verkopen ze alles wat een huis gezellig kan maken. Van kaarsjes tot wandkasten. Die zijn erg prijzig, maar voor de leuke spullen gaan we daar tot slot kijken. Ik heb het hier wel gezien. Wat sta jij daar te dromen... Je schaatsen zullen nog wel op zolder in een doos zitten.'
Annelies schudt haar hoofd. 'Geen tijd. Volgende week heb ik bijna iedere avond wel iets. Kom op, laten we spijkers met koppen slaan!'

En dat doen ze. Annie weet zich regelmatig te beheersen, laat het bij een enkel advies of een mening.
De eerste winkel die ze aandoen, blijkt ruime keus te hebben. Annelies loopt rond met een duimstok en notitieblokje in de aanslag. Daar, een wandmeubel. Ze ziet het al staan tegen de wand aan de kant van de kledingzaak. De piano kan ernaast zonder dat het propperig wordt.
'Meet nog eens na,' zegt Annie. Ze houdt behulpzaam het begin van de duimstok vast, terwijl Annelies naar de andere zijkant loopt.

Er komt een verkoper aangestapt die kalm zegt dat de juiste maten op het kaartje staan.
'Ach, natuurlijk...'
De wandkast vormt de basis waar de rest bij gezocht wordt. Een simpele eethoek, een lage bank voor het raam waar Annelies veel kussens op wil hebben. 'Erop en eromheen, dat staat leuk op die verhoging.'
De tijd vliegt, het is halfeen voor ze het weten. Heel even voelt Annelies zich schuldig als haar moeder haar pinpas door het betaalapparaat haalt.
'Niet zeuren, ik had toch gezegd dat wij zouden betalen.'
Midden in de komende week zullen de meubels bezorgd worden, op één fauteuil na die besteld moet worden omdat de kleur niet past bij die van de bank.
Eenmaal buiten knuffelt Annelies haar moeder. 'Te gek, dank je wel. Ik ben er echt blij mee. Mam...'
Annie kijkt stralend naar het gezicht van haar dochter. Mam, dat zegt ze bijna nooit meer. Het is al jaren 'Annie en Flip'.
'Nog even naar Haringa, de buurman van de pannen- en pottenwinkel.'
Ook daar zijn ze snel klaar: er is een aanbieding voor starters. Pannenset, bestek, serviesgoed. 'Jammer dat ik de spullen van mijn ouders heb weggedaan, net als die van Flips vader en moeder. Ik ben niet zo bewaarachtig. Zou nu goed van pas zijn gekomen...'
Annelies zegt liever alles nieuw te hebben. 'Alleen het glasservies van oma Bussink, dat moet nog ergens op zolder staan. Veel kristal.'
Bij thuiskomst wacht hen een verrassing: Flip heeft bij wijze van uitzondering gekookt. Lasagne. 'En omdat jullie nogal lang wegbleven, heb ik er zelfs een salade bij gemaakt.'
Tijdens het eten belooft hij Annelies – na verslag te hebben gekregen over de strooptocht – woensdagmiddag een Boedelbak te zullen huren. 'Dan verhuizen we je bureau. Maar de piano moet door een deskundige worden vervoerd. Dat is vakwerk. Zoek maar vast bij elkaar

wat je nog meer wilt meenemen.'
Persoonlijke spulletjes, zomer- en winterkleding. En niet te vergeten de computer en de randapparatuur. Ook daar is vader Flip goed voor.
'Ik houd de woensdagmiddag vrij.'
Het wordt niet uitgesproken, maar Annelies is blij dat haar ouders hun teleurstelling opzij hebben gezet. Annelies op haar beurt heeft het schrikbeeld dat ze voor ogen had, vast te roesten in een driemanschap tot het moment dat haar ouders van hun oude dag gaan genieten, van zich afgeschud. Ze slaat een nieuwe weg in. Het voelt precies zo, net zo goed als toen ze met haar studie begon. Er is een nog veel oudere herinnering: ze kon nog maar net lopen toen ze haar ouders verraste met: 'Ikke kan zelluf.'
Wat dat betreft is ze nog niets veranderd, ze is baas over haar eigen toekomst. Werken zoals ze wil, wonen waar ze wil. Wat riep oma Bussink ook altijd weer? Ze hoort het nog: 'Een flinke meid is op de toekomst voorbereid.' En zo is het maar net.

# 3

Ron Schutte is de eerste die het ingerichte appartement van Annelies mag bewonderen. 'Helemaal Annelies, zo ziet het er hier uit. En respect: wat heb je dat vlot voor elkaar gekregen. Ineke en ik zijn nu al maanden aan het tobben wat betreft ons nieuwe huis. De verbouwing schiet maar niet op. Toen we dachten dat we konden gaan aftellen, ging de aannemer failliet. Het duurde en duurde voor de bouwvakkers weer op de steigers konden. Nu, met een vorstperiode, ligt de boel wéér plat!'
Ron wandelt op zijn gemak door de ruimte. Ze glundert bij zijn complimenten. Het kost Annelies bij iedere ontmoeting méér moeite afstand van hem te bewaren. Was hij nog maar vrij. Helaas, Ineke, de vrolijke schooljuf, is haar vóór geweest.
Nee, ze is er niet op uit om Ron van Ineke af te pakken. Niet dat het haar zou lukken, het is duidelijk dat die twee voor elkaar gemaakt zijn. Maar jaloers is ze wel. Zij, Annelies, die het wat betreft de liefde altijd kalm aan heeft gedaan.
'Het is gebruikelijk dat er een inwijdingsfeestje komt, Annelies. Housewarming. Ik denk dat je genoeg nieuwe vrienden hebt verzameld om de kamer te vullen.'
'Ja, dat zal wel lukken.'
Ron zoekt een zitplaats, legt zijn aktetas op de grond. 'Fijn dat we op de Marktstraat bij je ouders terechtkunnen. Wanneer denk je...'
Annelies legt hem met een handbeweging het zwijgen op. 'Daar zul je mijn vader hebben met de Boedelbak. Kun je mooi even helpen met het aansluiten van de computer!'
En dat niet alleen, Ron steekt ook de handen uit de mouwen als het op sjouwen aankomt. Annelies hoeft niets anders te doen dan wijzen waar ze alles wil hebben. Ze zijn nauwelijks klaar of de pianohandelaar komt voorrijden. Thijmen heeft gezegd dat het muziekinstrument het best door de winkel vervoerd kan worden. De kortste

weg, volgens hem.
In een mum van tijd staan ze onder aan de trap. Nu komt het op vakmanschap aan. Flip, Ron en Annelies kunnen niets anders doen dan toekijken. Als de piano op zijn plaats staat, applaudisseren ze spontaan.
'Koffie?' vraagt Annelies dan.
'Bedankt, maar in de vrachtwagen staan nog twee piano's die naar hun bestemming moeten!'
Maar Flip en Ron slaan een bakje niet af. Ze kunnen het goed met elkaar vinden, die twee. Natuurlijk gaat het gesprek over 'het vak'. De plannen voor een opvoedkundig bureau. 'Je zou zelfs aanstaande ouderparen kunnen activeren, Ron, om een cursus te volgen. Ook kun je eraan denken ouders die hun kinderen naar een dagverblijf brengen, hulp aan te bieden.'
Annelies is het gewend: haar vader en moeder denken méé. Soms ergert het haar, maar Ron reageert positief.
Na een paar koppen koffie stelt Annelies voor om een kijkje te gaan nemen in hun nog in te richten kantoor in haar ouderlijk huis.
'Rijd dan met mij mee, dan zet ik je straks weer af,' stelt Ron voor.
Flip heeft opeens haast, zegt de Boedelbak voor een afgesproken tijd terug te moeten brengen.

Even later zit Annelies te huiveren naast Ron in diens auto. Ze vangt een vleugje van Inekes bloemenparfum op. In het licht van de straatlantaarns gluurt ze naar Rons profiel. Mannelijk, rechte neus, een al grijzende lok over zijn voorhoofd. Zijn huid is nooit perfect geschoren, maar de zwarte stoppels staan hem goed, vindt ze. Donkere ogen die dwars door je heen kunnen kijken, net als die van zijn broer Lars en zus Susan.
'Alles goed met Susan?' vraagt ze als Ron op de Marktstraat een parkeerplaats vindt.
'Dacht het wel. De kleine groeit als spreekwoordelijke kool en ik heb

het idee dat ze over haar angst dat er iets, wat dan ook, met hem zal gebeuren, heen is. Trouwens...' Hij schakelt de motor uit en kijkt even opzij. 'Goed idee van je vader om het kinderdagverblijf te benaderen voor een cursus. Ik zal het er eens met Ineke over hebben, ook al is ze zelf weinig actief meer wat dat betreft. Susan doet het goed, als baas van de crèche.'
Annelies stapt uit, een koude wind rukt aan haar lange sjaal. De zus van Ron, Susan, is dik bevriend met Ineke, die op de boerderij een kinderdagverblijf is begonnen. Een idee dat meerdere boeren hebben omarmd. Ruimte genoeg, net als de belangstelling van ouders. Veel buitenlucht, omgang met de natuur, vooral dieren.
Ja, op de vriendschap van Ineke en Susan is Annelies ook al jaloers. Ze heeft veel kennissen, maar niet één vriendschap is ooit uitgegroeid tot iets blijvends. Ze heeft een tijd terug Susan begeleid. Susan, die door een gebeurtenis op het dagverblijf, doodsangsten had dat ze haar kindje zou verliezen. Een dwangmatige angst, die fobisch werd.
Susans man, Arjan Slot, enthousiast over het biologisch boeren, kwam met Annie en Flip in contact vanwege hun gemeenschappelijke belangstelling voor 'zuivere' voeding. Arjan bedacht dat Annie of Flip hem en Susan zouden kunnen helpen met haar extreme angst. Maar beiden schoven Annelies naar voren: een leeftijdgenoot van Susan. En wonder boven wonder wist Annelies de juiste snaar te raken. Niet dat de problemen na een paar gesprekken waren verdwenen. Nee, beiden hebben intensief aan de moeilijkheden moeten werken. Destijds hoopte Annelies op een hechte vriendschap met de jonge boerin. Maar altijd was daar Ineke, de vriendin én schoonzus van Susan.
'Kom je nog, maatje?' zegt Ron en hij geeft Annelies een por. Ook hij rilt, heeft het in zijn te dunne leren jasje koud. 'Heb je een sleutel of moet ik bellen?'
Annelies schudt haar hoofd en net als ze de sleutel wil gebruiken, wordt de deur geopend. Annie laat een patiënt uit. 'Tot volgende

week, Eke!' zegt ze hartelijk, alsof ze afscheid neemt van een vriendin.
Ron doet een stap opzij, kijkt omhoog naar de gevel, die zo prachtig is gerestaureerd. Teruggebracht naar een dikke honderd jaar geleden.
'Kom gauw verder, jullie twee. Flip heeft de Boedelbak al teruggebracht. Wat een heisa was dat met de piano daarstraks! Die mannen waren te vroeg en er stond nog van alles en nog wat bovenop en omheen. Hij zal wel weer gestemd moeten worden.'
Ze lopen door naar de woonkeuken, waar Flip druk in de weer is met potten en pannen. 'Nog meer koffie, Ron, of een biertje?'
Ron ontdoet zich van zijn leren jasje en hangt het over de rugleuning van een stoel. 'Biertje, Flip. Ben je goed met koken?'
Annie lacht dat Flip als kok net zo succesvol zou kunnen zijn als hij nu in zijn huidige werk is. 'Net zo'n multitalent als onze Annelies, zij zou het als zangeres weten te maken. Soms is kiezen moeilijk...'
Ron kijkt glimlachend in de richting van Annelies, die zich afvraagt waarom ze in vredesnaam om die opmerking moet blozen. Snel brengt ze het gesprek op de kamer die door Ron gekeurd moet worden.
Annie zet een glas witte wijn voor haar dochter neer. 'Alsjeblieft. Om de eetlust op te wekken. Trouwens: ken je de vrouw die ik zojuist uitliet? Eke Huizinga. Moeder van een groot gezin.'
Ron knikt. 'Ik wel. Via Ineke. Ze is toch ernstig ziek geweest?'
Annie knikt. 'Denk nu niet, Ron, dat we altijd aan deze tafel onze cliënten bespreken. Dat doen we alleen als we de raad van de anderen nodig hebben. Eke kwam niet echt voor zichzelf. Zij en haar man lopen wat betreft de opvoeding telkens tegen problemen aan die zijn ontstaan nadat ze genezen is verklaard. Misschien een geval voor jullie... daarom kaart ik het aan.'
Annelies kent haar moeder als geen ander. Hoort meer dan er gezegd wordt. 'Ze moet het zelf willen, Annie. Mag ik weten hoe ze erbij kwam om een afspraak te maken?'

Annie knikt. Haar grijsblonde krullen deinen mee. 'Ze had onze naam van Susan gekregen. Hun kinderen zijn toen zij in het ziekenhuis lag daar vaak opgevangen. Vandaar dat ze Susan in vertrouwen heeft genomen. Het gaat om de oudste dochter, maar daar praten we dan later wel over door.'
Ron is gaan staan, schuift zijn stoel onder de tafel en trekt zijn leren jasje aan. 'Mond-tot-mondreclame. Dat werkt vaak nog beter dan een verwijsbriefje van de huisarts. Ik wil voor ik vertrek graag de kamer zien, Annelies, die we gaan gebruiken.'
Annelies springt op. 'Vanzelf. We kunnen twee kamers gebruiken, een wat grotere als ontvangst- en behandelkamer, een kleine als kantoortje, plek voor van alles en nog wat. Kom maar mee.'
Ron loopt bedaard achter haar aan, ondertussen de renovatie in ogenschouw nemend. Geweldig, zoals de woning in oude staat is teruggebracht. Een huis met een geschiedenis. Heel wat anders dan de twee bouwvallige woningen die hij en Ineke gekocht hebben. Momenteel is het echt een kwestie van door de rommel heen kijken om te zien hoe het gaat worden.
Hij vindt de beide vertrekken geweldig. 'Hoe hoog is de huur, Annelies? Je ouders zullen ongetwijfeld niet voor Sinterklaas willen spelen.'
Annelies kleurt. Moeilijk uit te leggen hoe de verhouding tussen haar en haar ouders is. 'Toch wel, in ieder geval tot we volop draaien. En je moet je daar niet schuldig over voelen. Annie en Flip hebben alles voor hun vak over. Het zou wat anders worden als ze het geld echt nodig hadden... wat niet het geval is. We kunnen dus onbekommerd plannen maken.'
Ron kijkt op haar neer, wrijft met een hand over een wang met stoppeltjes. 'Dat is mooi, maar niet gemakkelijk om te accepteren. We hebben het er nog wel over. Ik ga vanavond met de plannen aan de slag. Vroeger zou je gezegd hebben: op papier. Nu kruipen we achter onze laptop.'

Ze lopen naast elkaar door de lange gang en als Annelies de voordeur voor hem opent, krijgt ze een knipoog en een brede grijns als afscheidsgroet. Het is verleidelijk om hem na te kijken, maar een vreemd soort schuldgevoel weerhoudt haar.

Een halfuurtje later vertrekt ze zelf ook. Ze wilde wel blijven eten, maar kom op, ze heeft in haar keukentje een voorraadje blikken.
Bovengekomen wacht haar een verrassing: Eveline staat voor haar deur te dansen, ze springt van de ene voet op de andere en naast haar ontdekt ze Sigrid, de stiefmoeder. Sigrids gezicht gaat bijna schuil achter een grote plant met veel groen blad.
'Verrassing!' jubelt Eveline.
'Inderdaad... wat ontzettend leuk! Sigrid, zal ik die zware plant maar van je overnemen? In jouw toestand...'
Sigrid lacht. 'Kom op, ik heb nog zes maanden te gaan! Als ik nu al begin mezelf te ontzien, waar ben ik dan bij de negende maand?'
Annelies voelt zich huiseigenaar als ze de deur opent. 'Kom binnen, jullie. Wat zal het zijn, koffie, thee?'
Sigrid zet de plant op een plekje vlak bij het raam. 'Hier staat-ie precies goed. Licht en geen zon. En nee, geen koffie of thee... ik kom een andere keer samen met Thijmen officieel op bezoek. Nu wil ik alleen graag even rondkijken hoe het geworden is. Een piano... jij bent nogal muzikaal, dat is waar ook! Lars ziet je nog steeds als mijn opvolgster in de band.'
Annelies verschiet van kleur. 'Als je hem dat dan maar zo snel mogelijk uit zijn hoofd praat! Ik heb geen tijd voor zulke dingen. Je zult toch moeten toegeven dat er veel tijd in het zingen gaat zitten. Repetities, besprekingen, weet ik wat nog meer!'
Sigrid schudt haar hoofd. 'Wind je niet zo op! Je bent er duidelijk nog niet aan toe, ik zal het Lars doorgeven. Wat een prachtige wandkast heb je gekocht. Toen Thijmen en ik gingen trouwen, viel er niet veel aan te schaffen, ik stapte in een kant-en-klaar huishouden. Af en toe

kan ik me niet bedwingen en schaf ik wat aan. Thijmen is gelukkig erg gemakkelijk in die dingen. En over een week of wat beginnen we aan de babykamer. Reken maar dat Eveline me tot grote hulp is!'
Eveline legt heel even haar hoofd tegen de arm van Sigrid. Het is duidelijk dat het klikt tussen die twee.
'Kun je me leren pianospelen, Annelies? Dat wil ik zo graag! Onze woonkamer is groot genoeg, er zou nog wel een vleugel bij kunnen!'
'Toe maar, een vleugel. Liefje, ik denk dat Annelies wel wat anders te doen heeft dan meisjes leren pianospelen!'
Eveline maakt zich van Sigrid los en duikt op de piano af, duwt de klep omhoog en valt neer op de bijbehorende kruk. Met twee vingers brengt ze de bekende vlooienmars ten gehore. Sigrid schudt haar hoofd, kijkt vertederd.
Annelies bedenkt dat Eveline in huis waarschijnlijk een machtspositie bekleedt: beide ouders hebben een reden om haar wensen te vervullen. Het is vast niet gemakkelijk om een tweede moeder te zijn, terwijl de eerste nog volop aanwezig is. Al is het niet lijfelijk.
Annelies fluistert: 'Het zal wel een bevlieging zijn, ze is het zo weer vergeten...'
Sigrid kijkt zuinig en schudt haar hoofd. 'Hier is het laatste woord nog niet over gezegd. Vanavond moet Thijmen eraan geloven.' En hardop somt ze op waar Eveline al zo druk mee is: 'Tekenles, de pony, ballet...'
'Wel erg veel voor een jong meisje!' stemt Annelies in. 'Ze moet ook nog tijd overhouden om met de babykamer te helpen, dacht ik zo.'
Midden in de vlooienmars wordt de riedel abrupt gestopt. 'Dat is zo! Maar wat zal het voor de baby leuk zijn als we een piano hebben. Mamma, mijn echte moeder, heeft er ook een!'
Triomf. Sigrid zucht en loopt richting deur. 'We komen nog weleens op bezoek, dan kunnen we bijpraten. Kom, Eveline, we moeten nog eten en papa heeft vanavond een winkeliersvergadering.'

Eveline steekt haar tong uit. 'Je hebt me nog niet geantwoord, Annelies!'
Annelies zegt dat ze geen pianojuf is. 'Eigenlijk zou ik niet weten wat ik je moest leren. Om te beginnen het lezen van noten...'
'Ha, die ken ik. We hebben op school blokfluitles gehad. Dus de eerste les kun je overslaan!'
Annelies werkt het kind de deur uit en wenst Sigrid sterkte. 'En hartelijk dank voor de plant. Ik ben er echt blij mee!'
Ze sluit de deur achter de twee bezoekers en loopt dan naar het raam om de rolgordijnen neer te laten. Als vanzelf glijdt ze achter de piano. Chopin, haar lievelingssonate. Muziek brengt haar geplaagde zenuwen zoals altijd tot rust. Ze speelt de passages die ze uit haar hoofd kent. Fijn om geen burenoverlast te veroorzaken.
Muziek, zingen, de ene gedachte lokt de andere uit. Ron, zijn broer Lars. Hun zus, Susan, die stapel is op haar baby. De drie 'kinderen' Schutte zijn stuk voor stuk dorpelingen geworden en vormen een kliekje. Annelies benijdt hen: het moet geweldig zijn om broers of zussen te hebben.
Met een valse aanslag wordt de sonate ruw gestopt. Ze dwingt zichzelf nuchter te blijven. Niet zwijmelen over wat onmogelijk is. Vooral niet de man die bezet is begeren!

De volgende dag meldt Ron zich al vroeg in de ochtend. Hoe laat is Annelies vrij, kunnen ze praten over de plannen? Ron heeft zich door bevriende psychiaters laten voorlichten en denkt nu spijkers met koppen te kunnen slaan.
'Kom dan om halfelf naar de Marktstraat, Ron. Er heeft zojuist iemand afgebeld.'
Het kost haar moeite de aandacht bij de laatste patiënt te houden. Een jochie van zeven jaar dat bij het binnenkomen al uitroept 'ABC' te hebben. 'Dat heeft de schoolarts zelf gezegd!' De moeder loopt zuchtend achter hem aan, raapt de wanten, muts en sjaal die hij achteloos

op de grond gooit voor hem op. 'Hij bedoelt ADHD,' zegt ze.
Annelies schiet in de lach. 'Een nieuwe variant... ABC. Zo'n rare kwaal nog niet!'
Als ze drie kwartier later bij de voordeur afscheid van moeder en zoon neemt, komt Ron net voorrijden. Zijn donkere ogen lichten even op, het is als een begroeting.
'Kom verder, Ron. Je kent de weg, even koffie uit de keuken halen.'
Terugkomend in haar kamer ziet ze dat Ron ruimte gemaakt heeft op haar bureau en een stapeltje uitgeprinte A4'tjes op twee stapeltjes heeft gelegd.
'Lekker, die koffie. Druk geweest?'
Annelies haalt haar schouders op. 'Gaat wel. Het gebruikelijke. Laat horen en zien wat je hebt!'
Ron is niet te stuiten, zo enthousiast is hij. Ideeën voor een website, dat wil hij eerst bespreken. Dan bekendheid geven aan hun plannen. 'Ik heb mijn zus al gevraagd de ouders van de opvang een mail te sturen. Wist je dat, trouwens: de kinderen krijgen geen briefjes meer mee naar huis, ook niet op de scholen. Alles gaat via de mail. Weet je zeker dat het overkomt.'
Annelies beweert mensen te kennen die echt niet dagelijks achter de computer zitten. 'Kan best nog fout gaan, dus.'
'Ze maakt ook ruimte op het prikbord in de gang, en reken maar dat ze het mondeling ook aankaart. Volgens Susan zijn vooral jonge ouders onzeker. Kijk maar naar haarzelf... dit tussen haakjes, want het gaat nu prima met haar. Ouders willen graag informatie. Het ontbreekt menigeen aan ervaring. Mensen zoals de familie Huizinga, ouders van ik meen vijf stuks, hebben de nodige ervaring. En dan nog komen ze soms voor problemen te staan.'
Annelies drinkt haar kopje langzaam leeg. 'Huizinga. Daar had mijn moeder het ook al over. Eke is ernstig ziek geweest, het schijnt dat het halve dorp het gezin heeft gesteund. Mooi vind ik dat... ouderwets, feitelijk!'

Ron zet zijn kopje met een klap terug op het schoteltje. 'Hier heb je een overzichtje van de voorlopige onderwerpen op de website. Ik wil ook dat de bezoekers kunnen reageren op wat ze hebben opgepikt. Desnoods vragen stellen.'
Annelies kreunt. 'Dan ben je misschien dag en nacht bezig met het beantwoorden. Maar we zien wel waar het schip strandt.'
Volgens Ron strandt het niet. 'Nu behandel je kinderen die doorgestuurd worden. Maar ik vind dat we laagdrempelig moeten zijn. Intakegesprekken in ieder geval gratis. Misschien kun jij je praktijk hier dan wel opschorten en de kinderen die je nu krijgt in het nieuwe verband behandelen. Het mooie is dat we het samen doen. Natuurlijk kun je nu ook met je ouders overleggen, maar zoals ik het zie, gaat het sneller als we het op de nieuwe manier doen.' Hij stopt even, kijkt Annelies doordringend aan. 'Zeggen, hoor, als je het ergens niet mee eens bent.'
Ze knikt langzaam. 'Doe ik. Ik wil blijven behandelen, jij mag de spreekbeurten van mij wel doen! De voorlichting. Ik dwaal zo snel af, weet je. Ben je ook bezig geweest met het benaderen van de schooldirecteuren? Moeten we de schooladviesdiensten en de schoolartsen er ook bij betrekken, om zo breed mogelijk bezig te zijn?'
Ron maakt driftig aantekeningen in de marge van de A4'tjes. 'Niet zo snel, jij. Eerst het onderwijzend personeel. Zien wat er uit een confrontatie met hen tevoorschijn komt. Ik begin het gevoel te krijgen dat we in een grote behoefte gaan voorzien, Annelies!'
Al pratend en brainstormend komen ze op allerlei zijpaadjes, die soms weer op de hoofdweg uitkomen. Zo heeft Ron psychologie gestudeerd en hij is na het beëindigen van zijn studie zich gaan specialiseren. Kinderen met hun problemen hebben zijn liefde. Terwijl haar ouders beiden psycholoog zijn, heeft Annelies gekozen voor de therapeutische kant. Zij is bijzonder praktijkgericht bezig geweest en wil dat ook blijven doen. 'Jij bent een natuurtalent, Annelies. Jouw intuïtie is goud waard, dat hebben we gezien toen je mijn zus hielp

met het verwerken van haar angsten. Naar mij wilde ze niet luisteren, weet je nog? Terwijl Susan niet tot de leeftijdsgroep behoort waar jij je gewoonlijk op richt.'
Annelies haalt haar schouders op. 'Overdrijf niet zo, joh. Nog wat: we moeten oppassen dat we bestaande organisaties niet in de wielen rijden. Ze moeten op de hoogte worden gebracht en misschien hebben we wat aan adviezen van buitenaf.'
Daar is Ron het mee eens, hoewel hij dat wat ze van plan zijn, het liefst kleinschalig wil houden. 'Ik wil nauw met de scholen samenwerken. Daar een bekend gezicht zijn, Annelies. Zonder bij de schooladviesdiensten te horen of hen voor de voeten lopen. Kijk, wij zijn niet van plan ons met het onderwijs op zich te bemoeien. En we begeleiden niet de leerkrachten. Ook zijn de scholen niet specifiek onze doelgroep. De term "opvoedkundig bureau" heeft een eigen lading. Er is nood, soms goed verstopt. Maar: leerkrachten staan dicht bij de kinderen. Zien vaak meer en anders dan de ouders. Neem het pesten op school. Daar is het laatste woord nog niet over gezegd.'
Annelies is het met hem eens, ze bestudeert wat ze genoteerd hebben. 'Wat ga jij doen, wat neem ik op me? Een ontvangstruimte hebben we dus. Zal ik contact met Susan opnemen en helpen een mail samen te stellen voor de ouders van de opvang? Ik rijd straks wel even bij haar langs. Nog maar even wachten met die van de naschoolse te benaderen, die krijgen later via de school weer een en ander te horen, dacht ik zo.'
Ron gaat staan, schiet in zijn leren jasje dat hij over de rugleuning van zijn stoel had gehangen. 'Samen komen we er wel uit. Weet je, Annelies, ik wil dat wij zelfstandig kunnen opereren. Niet een onderdeel van een landelijk orgaan zijn, zodat we de controle verliezen en zelf geen besluiten kunnen nemen. Wat ik denk: we zijn een prima koppel, jij en ik!'
Hij kijkt haar zo warm aan dat Annelies van kleur verschiet. Maar goed dat hij niet in haar hoofd en hart kan kijken. Ze moet zichzelf

nodig aan een onderzoek onderwerpen: uitvogelen of ze écht verliefd aan het worden is, of dat het puur lichamelijke aantrekkingskracht is. In beide gevallen moet ze korte metten maken met haar gevoelens, want die kunnen gevaarlijk worden vanwege hun nauwe samenwerking. Stel dat Ron erachter zou komen: zeker weten dat hij de samenwerking per direct zou beëindigen.

Ze loopt met hem mee naar de voordeur, pakt in het voorbijgaan haar jas van de kapstok.

'Blijf je niet lunchen bij je ouders?' verbaast hij zich.

Annelies schudt haar hoofd, haarslierten schieten voor haar ogen heen en weer. 'Beter van niet. We laten elkaar vrij, weet je. Ik ben geen kind van vijftien meer dat rekenschap van mijn tijden die ik hier niet doorbreng, moet afleggen.'

Ron knikt, maar echt begrijpen doet hij het niet. Zijn eigen moeder zou het niet accepteren als een van haar kinderen zonder groet of boodschap de deur uitging. Maar ja, wat wil je... zijn eigen moeder is geen psychologe of psychiater. 'Ik hoor dan wel van je. Groetjes aan mijn zusje!'

Annelies knikt, kijkt Ron na als hij in zijn lage sportwagen stapt. Langzaam loopt ze naar haar eigen wagen. Het is etenstijd, maar trek heeft ze niet. Gemakkelijk is dat, nu hoeft ze niet verplicht bij Annie en Flip aan te schuiven. In plaats daarvan rijdt ze het stadje uit richting de boerderij die in de omgeving bekendstaat als de 'bioboerderij'. Met, niet te onderschatten, een goedlopend kinderdagverblijf plus naschoolse opvang.

Als ze het lieve huisje van de oude schooljuf, Ada Berkhout, passeert, kijkt ze met één oog opzij en als ze de auto van Lars Schutte ziet staan, geeft ze een dot gas. Ze heeft gekozen. Ze is therapeute, en een goeie ook. Voor haar geen zangcarrière!

# 4

De eerste persoon die Annelies op het terrein van de bioboer ontmoet, is de oud-schooljuf, Ada Berkhout. 'Wij komen elkaar ook óveral tegen!' lacht Annelies als ze uit haar auto stapt en juffrouw Berkhout begroet. Deze is met de fiets aan de hand blijven staan toen ze ontdekte wie er achter het stuur van de auto zat.

'Dat kun je wel zeggen. Maar we wonen dan ook in een klein dorp. O nee, dat is waar, jij niet, ik heb gehoord dat je nu boven de boekwinkel van Thijmen Schreurs woont. Bevalt het?'

Annelies sjort haar sjaal hogerop. De wind komt uit het noorden, pal over de weilanden aangewaaid. 'Zeker. Was het Eveline die het nieuws rondbazuinde?'

'Nee, zeker niet. Ron Schutte vertelde het. En Lars zei meteen dat hij je binnenkort een bezoekje brengt.'

Annelies knarsetandt. 'Zeg hem maar dat ik het razend druk heb. Is het niet te koud om te fietsen? Hoewel u er goed op gekleed bent. Muts, das, dikke handschoenen, maar toch! Die wind bijt in je gezicht. En de wegen zijn niet echt schoon.'

Ada Berkhout zegt dat ze gehard is. 'En als je ouder wordt, moet je in beweging blijven. Vandaar. Nog wat anders, Annelies. Het is maar een vraagje: je kent zeker de familie Huizinga niet van naam? Dat gezin met vijf kinderen, hun namen beginnen stuk voor stuk met een L. Vraag me niet waarom, lijkt me nogal lastig, met de post en zo. De oudste heet Lucie. Om haar gaat het. Ik heb via via gehoord dat er iets met dat kind niet in orde is. Terwijl ze zo haar best heeft gedaan toen haar moeder wegviel...' Ada Berkhout ratelt door, lijkt de koude wind amper te voelen. Ze dist op wat Lucie allemaal voor het gezin heeft gedaan. Ze hielp in de huishouding, zorgde voor de kleintjes, waar nog bijkwam dat ze al wijs genoeg was om te beseffen dat het met haar moeder ook weleens mis zou kunnen gaan.

'Misschien heeft het kind te veel te verduren gehad. Ze zit nu op de middelbare school. Maar volgens haar moeder gaat het niet goed met haar. Ik heb gezegd dat ze hulp moet zoeken. Toch? De meeste mensen schamen zich als ze hulp van buitenaf nodig hebben. Dat weet ik uit ervaring!'

Een windvlaag krijgt vat op de sjaal van Annelies, die een moment haar gezicht bedekt. Juffrouw Berkhout vindt het humoristisch en haar kakelende lach verwaait.

Annelies is niet van plan 'het geval Huizinga' nu te bespreken. Ze weet zo goed als niets van het gezin. 'Ik merk het wel als ze zich aandienen. Het is te hopen dat de ouders verstandig zijn en zich niet generen voor een hulpvraag. Ik vind het leuk met u te praten, maar nu ga ik toch naar binnen... het is buiten niet bepaald prettig!'

Daar is Ada Berkhout het mee eens. Ze voelt nog eens of de bovenste knoop van haar winterjas dichtzit, groet dan hartelijk en stapt op haar elektrische fiets. 'De wind in de rug... ik ben in een wipje thuis!' En weg is ze, het erf af.

Annelies kan een glimlach niet onderdrukken. Leuk mensje, zo kwiek als wat en helemaal bij de tijd. Annelies beent om het betegelde terrein naar de deur. Hopelijk komt ze niet ongelegen. Misschien had ze beter even kunnen bellen. Maar nu kan ze het net zo goed proberen. Ze probeert de deur, of deze open is. Nee dus. Logisch, de kleintjes zouden eens snode plannen kunnen hebben.

Een van de vrijwilligers heeft haar gezien en doet de deur van het slot. Terwijl Annelies binnenstapt, fladdert er een verdord blad naar binnen.

'Hoi. Ik kom voor Susan. Is ze hier, of moet ik omlopen en bij haar huis aanbellen?'

Annelies krijgt te horen dat Susan zojuist is gekomen om te helpen met het uitdelen van de boterhammen en bekertjes drinken. 'Loop maar even mee, misschien kan ze wel twee dingen tegelijk. Praten en voederen!'

In de ruimte waar de kinderen aan een grote, ronde tafel zitten, is het

tamelijk rustig. Annelies vraagt zich af hoe de leiding dat voor elkaar krijgt.
Susans ogen lichten op als ze ziet wie de bezoeker is. 'Kom jij helpen? We kunnen altijd extra handen gebruiken!' Ze zit op een krukje en stopt een jochie blokjes brood in het mondje, terwijl ze met de andere hand een meisje een bekertje voorhoudt.
Annelies peutert haar sjaal los en ritst de jas open. 'Helaas... geen tijd. Ik kom alleen wat vragen en dat kan best tussen de bedrijven door, dacht ik zo. Je hebt van Ron al gehoord waar we mee bezig zijn?'
Susan knikt. 'Ron is enthousiast. Hij is al langere tijd bezig met het zoeken naar een zinvol project. Die broer van mij is geweldig in de omgang met kinderen. Ik heb hem bezig gezien. Nou ja, daar kun jij over meepraten. Wat is de bedoeling?'
Er begint een kind te jammeren, een ander stoot een bordje van tafel en een van de leidsters moppert op een kleine raddraaier.
Annelies verheft haar stem. 'Jullie medewerking zou geweldig zijn. Mailtjes naar de ouders, aanplakbiljetten, misschien een informatieavond beleggen... dat soort dingen!'
Susan staat op en streelt het jochie, van wie het bordje leeg is, over zijn bolletje. 'Je mag weer naar de autootjes, kerel.' En tegen Annelies: 'Loop maar even mee naar het kantoor. Daar is het toch iets rustiger!'
Natuurlijk informeert Annelies naar Derk-Jan.
'Het gaat geweldig,' zegt Susan. 'Dankzij jouw hulp, Annelies, geniet ik dagelijks van hem. Angsten hoeven niet altijd te verdwijnen, net zomin als alle problemen opgelost kunnen worden. Maar het is de manier waarop je ermee omgaat. Toch? Kijk, die kunst heb jij me geleerd.'
In het kantoor is het inderdaad een stuk rustiger. 'Ik blijf maar even!' zegt Annelies, terwijl ze een map uit haar tas haalt. 'Dit zijn slechts de ruwe plannen. Maar als je ze bekijkt, kun je zien waar we mee bezig zijn en wat de bedoeling is. In de eerste plaats zou het fijn zijn als de ouders van jullie klantjes op de hoogte worden gebracht van

wat we binnenkort kunnen aanbieden aan hulp. Zelf heb ik hoge verwachtingen van de vragen die op zo'n avond gesteld worden. Dan weten we wat er leeft onder de jonge ouders. Zo kunnen we werken aan richtlijnen. Kijk, dit is het idee voor een aanplakbiljet, ik moet het nog uitwerken. Terugkomend op de moeilijkheden waar jij na de geboorte van Derk-Jan mee geconfronteerd werd: je weet uit ervaring dat hulp geen overbodige luxe is en zelfs noodzakelijk kan zijn. Wees gerust... ik zal dat heus niet als voorbeeld aanhalen!'

In Susans gezicht vertrekt een spiertje. Haar stem is onvast als ze zegt: 'Alsjeblieft, daar heeft niemand wat mee te maken. Er zijn al te veel mensen die het wél weten! Weet je, dat schaamtegevoel ben ik nog niet kwijt. Andere moeders zitten op een roze wolk en ik deed niks anders dan bang zijn. Ik had zelfs geen vertrouwen in God!'

Annelies haalt haar schouders op. 'Nou ja, daar kan ik me wel iets bij voorstellen. Dat soort geloof is toch niets anders dan een veronderstelling?'

Susan haalt diep adem, vraagt zich af hoe ze nu moet reageren. Dit is de plaats noch het moment om het evangelie uit te gaan leggen. Toch kan ze het niet nalaten te reageren. 'Dat heb je mis, maar daar praten we hopelijk een andere keer over door. Waar we het over eens zijn is dit: ik weet als geen ander hoe belangrijk hulp kan zijn. Mits je de juiste hulp vindt! Jij en Ron hebben veel kennis in huis. Ik weet al één klantje voor jullie! De dochter van...'

Annelies legt haar met een handbeweging het zwijgen op. 'Huizinga, bedoel je? Je bent al de zoveelste die me hun naam noemt. Hoe komt het dat iedereen daarvan op de hoogte is? Om je gerust te stellen: de moeder is al bij Annie geweest. Ze heeft haar doorgeschoven naar mij, omdat ik de jongeren behandel. Een afspraak heeft ze nog niet gemaakt.'

Susan knikt. 'Hoe het komt, vraag je, dat veel mensen op de hoogte van de familie problemen zijn? Omdat veel mensen hebben geholpen toen Eke zo'n beetje op sterven lag. Wat ik naderhand zag gebeuren,

is dat die helpende mensen niet inzagen dat ze op een moment te veel waren. Eke was opgekrabbeld, deed weer aardig mee, maar de "vrienden" verwachtten dat ze haar hart bleef uitstorten. Alsof ze teleurgesteld waren dat hun hulp niet langer nodig was. Vreemd vond ik dat.'
Annelies knoopt haar jas dicht, ze heeft haar missie voltooid. 'Veel mensen helpen van harte, maar er zijn er ook die het nodig hebben om nodig te zijn. Ze halen daar bevrediging uit. Voel je 'm? Maar goed, ik wacht wel af of Eke naar mij toe komt. Het is wel te hopen.'
Susan loopt mee naar de deur. 'We komen gauw naar je nieuwe huis kijken. Dan breng ik Lars ook mee! Heb je al gehoord dat hun nieuwe cd een succes is? Ze zitten zaterdagochtend in een radioprogramma waar hun muziek wordt gedraaid. En natuurlijk praten ze tussendoor over het ontstaan van de band. Hij en Dennis Versa. Sigrid weigerde om mee te gaan! Kan ik me wel wat bij voorstellen. Zij is immers zwanger en van plan te stoppen met zingen.'
Annelies huivert. En deze keer niet van de kou. Ze haalt diep adem en zegt dan wat ze op haar hart heeft: 'Alsjeblieft, mocht je hem spreken, laat dan duidelijk weten dat ik geen zin heb om Sigrid te vervangen. Ik heb het te druk met mijn eigen werk en de plannen. Er zijn heus zangeressen genoeg te vinden. Laat hem adverteren, dan zul je eens wat zien.'
Susan lacht geheimzinnig. 'Je kent Lars niet. Als hij iets van plan is, krijg je dat met geen tien man uit zijn hoofd. Zíjn visie is de enige juiste. Als kind was hij al zo, soms tot wanhoop van mijn ouders. Maar achteraf bleek meneer vaak gelijk te hebben. Nee, hem bepraten kan ik niet. Dat doe je zelf maar! Vaak is toegeven het gemakkelijkst.'
Annelies rukt de buitendeur open. 'Dan gaat het hard tegen hard. Niemand kan mij tegen mijn zin laten zingen. Niets kan me verleiden! Het is dwaas van hem om zijn zinnen op mijn stem te zetten.'
Susan roept boven het geloei van de wind uit dat het komt, omdat hij haar stem heeft gehoord. 'Hij is zo muzikaal, zijn gehoor is tot en met

ontwikkeld. Daar komt het door. Eén valse noot kan hem tot wanhoop drijven. Hij streeft naar perfectie en dat is soms lastig.'
Annelies schudt haar hoofd. 'Bedankt voor je hulp, je hoort van me en je bent altijd welkom. Maar... laat dat broertje van je maar thuis!'

Tijd voor een warme lunch zit er vandaag niet in, besluit Annelies als ze in haar appartement in de koelkast kijkt. Daar haalt ze geen inspiratie uit en zin om een blik uit de voorraadkast aan te breken, heeft ze ook al niet. Ze besmeert een boterham met een laag pindakaas en daar moet ze het tot vanavond mee doen. Het gerinkel van de vaste telefoon doet haar naar de kamer lopen. Gehaast neemt ze op en zegt met volle mond haar naam.
'Gelukkig dat ik het maar ben, kind. Zo sta je toch je cliëntèle niet te woord!'
'Moeder!' protesteert Annelies.
Annie lacht. 'Waarom ik bel is het volgende. Mevrouw Huizinga wil graag met je komen praten over haar dochter.'
'Lucie.'
'Hoe weet jij de naam van dit kind?'
Annelies likt een klodder pindakaas van haar vinger. 'Tja, wat zal ik zeggen? Men bemoeit zich hier nogal met elkaar. Mijn probleem is jouw probleem. Gunst, mam, dat kennen wij helemaal niet. Hier weten ze niet alleen wie de buren aan beide kanten zijn, maar weten ze zelfs wat de problemen zijn en hoeveel geld er in de knip zit.'
Overdreven, vindt Annie. Maar helemaal ongelijk heeft Annelies niet. 'Een collega van Flip en mij heeft ooit een studie gemaakt van de verschillen die zich landelijk openbaren. De Groningers zijn beslist anders van opvattingen – dus vul maar in: qua gedrag, opvattingen enzovoorts – dan de mensen uit Limburg. Zo zouden kustbewoners van oorsprong vechters zijn, omdat ze geslachten lang moesten strijden tegen het water. Ervan uitgaand dat er niemand tussentijds verhuisde. Ik weet de eindconclusie niet meer en ook niet

wat hij met die studies heeft gedaan. Het doet me denken aan het lukraak uitdelen van stempeltjes.'
'Niks voor mij,' zegt Annelies, 'dat vage gedoe, die veronderstellingen. Goed, ik stort me op het gezin Huizinga. Je wilt je zeker niet uitlaten over die moeder, Eke?'
Annie vindt dat Annelies blanco de kwestie moet bekijken, zonder vooroordelen. 'Maar je weet het: je kunt me altijd benaderen voor overleg. Kom je vanavond eten?'
Annelies ziet voor haar geestesoog de zo goed als lege koelkast en zegt: 'Goed idee. Hoef ik ook geen boodschappen te doen. Tot vanavond dan maar!'

Het telefoontje van Eke Huizinga komt eind van de middag, op een moment dat Annelies het niet meer had verwacht. Eke klinkt nerveus. Ze stelt zich voor, vertelt over het gesprek dat ze met Annie heeft gehad. Jawel, over Lucie. 'U zult wel denken... laat het kind zelf aan het woord. Zulke dingen zeggen jullie toch altijd? Daar ben ik het wel mee eens, maar ik wil het voorbereidende werk doen om tijd te sparen. Want geloof maar niet dat onze Lucie zelf met haar probleem op de proppen komt. U moet echt voorbereid zijn. Zodat u hints kunt geven... Vindt u me nu een overdreven bezorgde moeder?'
Annelies stelt haar gerust. 'We doen het op uw manier, mevrouw Huizinga. Per slot van rekening is Lucie uw kind en u kent haar het beste. Maar als er een moment komt dat ik vind dat Lucie eraan toe is, zal ik één op één met haar willen werken. We zullen eerst samen bespreken wat we gaan behandelen en hoe we dat doen. Welke mogelijkheden we hebben.' Annelies bladert door haar agenda. Het blijkt al snel dat Eke Huizinga niet kan op de tijden die Annelies nog blanco heeft.
Ze hakt de knoop door. 'Ik heb een voorstel, mevrouw Huizinga. Het intakegesprek is gratis. Dat wist u? Goed, dan houden we het even informeel. Als het u schikt, zou u vanavond langs kunnen komen.

Om elkaar te leren kennen, dat in de eerste plaats. U doet uw verhaal, ik vertel wat we kunnen doen als we besluiten samen verder te gaan. Want kijk, soms is het beter dat we een andere instantie inschakelen. Zullen we dat afspreken?'
Eke roept dankbaar te zijn en zegt zeker te weten dat Annelies degene is die Lucie kan helpen. 'Zoals u Susan Schutte... ik bedoel natuurlijk Susan Slot, zo heet ze na haar huwelijk, van dienst bent geweest. En bovendien heb ik van uw moeder niets dan goeds gehoord...'
Annelies remt Eke af. 'Moeders, u weet zelf hoe die zijn! Maar wij hebben een afspraak. Halfnegen, als het u uitkomt. En ik woon nu...'
Dat hoeft ze niet te vertellen. 'Boven de boekwinkel. En de ingang is toch achterom, via de parkeerplaats?'
'U belt maar aan, ik zal er zijn. Tot vanavond.'
Annelies balt een vuist, bijt dan op de nagel van een duim. Niet doen, zouden haar ouders zeggen. Geen cliëntèle thuis ontvangen, zeker niet de eerste keer. Houd afstand. Ga niet mee in de emoties van anderen.
'Zal ik niet doen!' roept ze hardop. Het klinkt als een verdediging. Ze is niet langer de vlijtige, begaafde dochter die zo nodig 'het vak' in wilde. Ze is een zelfstandige therapeute die weet wat ze wil en haar eigen beslissingen neemt. En... mensen ontvangt wáár en wanneer ze wil!

# 5

Schemerlampjes aan, rolgordijnen omlaag. Annelies kijkt om zich heen alsof ze de kamer van een vreemde moet beoordelen. Intiem, knus, uitnodigend en wat nog meer. Eigenlijk niet geschikt voor een zakelijk gesprek. Of juist wél, maar niet voor een gesprek met een moeder die zorgen heeft om haar puberdochter. Misschien zijn de klachten zo ernstig dat ze doorgestuurd moet worden naar een psycholoog. Of het tegenovergestelde: het kan ook zijn dat Eke Huizinga te bezorgd is. Dat kan ook een uiting zijn van moederliefde.
Annelies zet vast kopjes klaar voor de koffie en legt een paar koekjes op een schaaltje.
De bel, dat moet Eke zijn.
'Dag Eke! Welkom. Geef je jas maar. Koud, hè? Je bent toch niet op de fiets?' Als vanzelf is het vanaf dat moment 'jij en jou'.
Eke trekt haar jas uit, die door Annelies in de garderobekast wordt gehangen. 'En of het koud is. Gemakkelijk, die parkeerplaats zo vlak achter je huis. Als je eenmaal boven bent, heb je er geen idee van boven de boekwinkel te zitten. Mag ik even rondkijken? Het eerste wat me opvalt: het is zo netjes. Net als toen Peter en ik pasgetrouwd waren. Moet je nu kijken... ik heb het al opgegeven 's avonds de woonkamer te ontdoen van alles wat de kinderen vergeten hebben op te ruimen. Je kunt wel aan de gang blijven. Of voor commandant spelen.'
'Ga zitten, Eke. Koffie, of heb je liever thee?'
Eke zegt aan een kop koffie toe te zijn. 'Het is altijd haasten, zo na vijf uur. Zorgen voor de maaltijd, hopen dat Peet niet naar de een of andere vergadering moet, tegenwoordig Lucie met huiswerk helpen en tegelijkertijd de kleintjes in bad stoppen.'
Het komt niet als een klacht over, maar Annelies probeert door de woorden heen te luisteren. 'Het klinkt alsof je het te druk hebt, Eke. Kun je niet de een of andere hulp organiseren? Ik heb van veel men-

sen gehoord dat ze ook klaarstonden toen jij in het ziekenhuis lag.'
Eke glimlacht, om haar ogen verschijnt een krans van rimpeltjes. Ze ziet er niet bepaald verzorgd uit, vindt Annelies. Het haar heeft van nature een witgele kleur, de pony hangt bijna in de ogen en de rest moet nodig bijgeknipt worden.
'Helpen de kinderen al een handje mee?' vraagt Annelies. 'Het is goed voor ze, hoor, om een taak te hebben. Sommige mensen menen dat kinderen het alleen maar fijn en leuk moeten hebben. Ik zeg altijd: als ze hun taakjes af hebben, is de beloning van vrije tijd des te groter.'
Eke aarzelt. Ze nipt van haar koffie. 'Ze zijn soms zo eigenwijs. Lucie niet, dat is mijn steun en toeverlaat. Maar Leon en Lex beginnen ook al te puberen en Lonnie en Louk... die zijn vaak ongehoorzaam. Met modderschoenen door het huis sjokken... het valt niet mee om ze zich aan de regels te laten houden. Maar als het erop aankomt, zijn het alle vijf schatten.'
Annelies kan zich wel een voorstelling maken van hoe het er in huize Huizinga aan toe gaat. 'En je man, die heeft zo zijn bezigheden buitenshuis?'
Eke knikt. 'Hij doet veel voor de kerk en als er ergens hulp nodig is, kan iedereen een beroep op hem doen. Zo is hij nu eenmaal. En vergeet niet dat hij ook in het schoolbestuur zit. Er komt heel wat op hem af. Zelfs schoolbesturen hebben tegenwoordig geldzorgen!'
Annelies luistert, schenkt de kopjes nog eens vol en ziet Eke geleidelijk aan ontspannen. 'Past Peter nu op de kinderen?'
Zomaar een vraagje, maar er volgt meteen weer een stortvloed aan woorden. 'Nee, de buurvrouw. Zoals gewoonlijk, maar die kan niet de hele avond. En omdat ik niet van tevoren kon zeggen hoelang wij hier bezig zouden zijn, heb ik een andere buurvrouw moeten vragen haar af te lossen. Je bent gezegend als je goede buren hebt. Weet je wie me ook zo lang heeft geholpen? Juffrouw Berkhout, die is vroeger schooljuf geweest. Nou, die heeft de wind eronder. Naar háár

luisterden zelfs onze jongens!'
Annelies denkt: ach Eke, je hebt ze nog lang niet groot. 'Maar de meeste zorgen heb je om de oudste, Lucie. Kun je daar wel met Peter over praten?'
Het bleke gezicht van Eke wordt rood. 'Je weet hoe mannen zijn. Zo anders dan vrouwen... ze doen puberproblemen af met: "Dat overgroeit ze wel, geen aandacht aan schenken." Dat doe ik dus wel. Maar erover praten met mijn buurvrouwen of vriendinnen doe ik niet. Ze zullen Lucie niet kunnen begrijpen en raad geven loopt op niets uit.' Ze zwijgt een paar tellen. 'Zal ik alles dan nu maar vertellen?'
Annelies knikt. 'Maar vertel me eerst even: Lucie zit nu toch op de middelbare school? Kan ze goed meekomen? Ik zie 's ochtends vaak een sliert kinderen uit het dorp komen, richting school. Zit Lucie ook bij die groep?'
Eke krijgt tranen in haar lichtblauwe ogen. Schudt van nee. 'Eerst wel, in de brugklas, net na de zomervakantie. Toen begon ze uitvluchten te zoeken om niet met de groep mee te fietsen. Kwam zogenaamd te laat beneden... was wat vergeten en fietste weer naar huis. En ik had natuurlijk niet in de gaten dat het te vaak voorkwam. Ik vroeg of ze liever met de bus wilde. Vier, vijf kilometer... maar dat was ook geen oplossing. Wat deed ze toen? Ze maakte een omweg via een ander dorp. Toen dat ontdekt werd, ontstonden er plagerijen. En ja, dat werd me te bont. Ik hield haar op een avond beneden, toen de anderen naar bed waren. En alles kwam eruit, Annelies. Echt, ik wist me geen raad. Nee, het waren niet de plagerijen. Al hebben die wel meegewerkt. Gunst, ik weet niet hoe ik het moet uitleggen.'
Annelies schuift een pakje papieren zakdoekjes in haar richting. 'Huil maar gerust, Eke. Het is niet gemakkelijk om alles uit te leggen. Dat begrijp ik heel goed. Lucie is een stukje van jezelf, toch? Wacht, ik haal eerst een glas water. Dat wil nog weleens helpen.' Zo langzamerhand begint Annelies nieuwsgierig te worden naar de aard van de klachten die het meisje heeft. 'Alsjeblieft.'

Ekes tanden klapperen tegen het glas. 'Zul je me niet uitlachen? Ik bedoel: je moet Lucie wel serieus nemen. Niet alles, zoals Peter doet, op de puberteit afschuiven!'
Met horten en stoten komt er duidelijkheid. Annelies heeft het gevoel of ze de woorden uit Ekes mond moet trekken. Aan het eind van de zomervakantie, toen de schoolspullen gekocht moesten worden, is het begonnen. Alles moest beslist zo zijn als dat wat 'de anderen' aanschaften. 'Ze was bang om uit de toon te vallen, haar rugzak hebben we tot drie keer toe moeten ruilen. Zelfs de nieuwe fiets was "te mooi". Uiteindelijk was de zomervakantie voorbij, ik blij... ik ben soms ook nog zo zwak, zie je. Wat ben je voor moeder als je zucht van dankbaarheid als je kinderen naar school zijn? Enfin. Met kleren werd het nog moeilijker. Natuurlijk, alles wat "in" was kreeg goedkeuring. Tot zover zag ik het nog als normaal pubergedrag. Opgaan in de groep.' Eke buigt haar hoofd, alsof ze oogcontact niet aankan. 'Toen was Lucie een keer te laat voor school. Ik rende in paniek naar boven, dacht dat ze al weg was gegaan zonder gedag te zeggen. Ik dacht dat we in ons moeder-dochtergesprek tot de bodem waren gegaan. Niet dus, dat was pas het begin. Ze stond voor de grote spiegel in onze slaapkamer. Ze staarde naar zichzelf en merkte niet eens dat ik achter haar stond. Toen ze me ontdekte, barstte ze in tranen uit. Ze zei: "Mammie, ik ben zo lélijk! De lelijkste van de hele school. Moet je dat háár zien. Gebleekt door de zon... en sproeten. En te dik ben ik ook, dat zag ik met gym. Een stomme beugel... jij zult dat wel anders zien, maar dat komt omdat ik je kind ben. Ik zie de mensen toch kijken!" Ik wist me geen raad, ik heb haar die dag thuis laten blijven in de hoop dat ze meer losliet. En 's middags heb ik haar mee naar de winkels genomen en de leukste kleren gekocht die te vinden waren. En we zijn naar de kapper geweest, leuke coupe geknipt. Maar dacht je dat het iets uithaalde? Ze bleef zich afzonderen, zich zo raar gedragen. En áls ik al tot haar door kon dringen, lachte ze me uit. "Ik zie toch wat ik zie!" Daar sta je dan als moeder... Ze vindt zichzelf

ronduit afzichtelijk. Niet de moeite waard om naar te kijken. Hoe kan zoiets nou, een kind van amper dertien! Wie zou haar dat aangepraat hebben en wat kunnen we eraan doen om haar weer die vrolijke meid van vroeger te laten worden?'
Annelies moet zich bedwingen om Eke niet tegen zich aan te trekken. Ze heeft diep medelijden met deze vrouw. 'Eke, Lucie is niet de enige die zo over zichzelf denkt. Het een is het gevolg van het ander en natuurlijk speelt de leeftijd een rol. Maar dat is niet de oorzaak. Er is zelfs een naam voor haar afwijkende gedrag.'
Eke duwt een propje tissues tegen haar neus, gluurt over de rand ervan naar Annelies. 'Afwijkend gedrag. Mijn dochter... het begon toen ze ongesteld werd, puistjes in haar gezicht ontdekte. Maar ik lette er niet op, dat was eigenlijk al lang voor de vakantie. Ze verweet mij dat ik ook "altijd" voor de spiegel sta om wat kleur op mijn witte wangen aan te brengen, aan mijn kleren sjor omdat ik zo mager ben en de kleding dat niet kan verdoezelen. Denk je dat het mijn schuld is, of zou het erfelijk kunnen zijn?'
Annelies probeert Eke te kalmeren, wat niet meteen lukt. Ze vertelt op rustige toon dat ze denkt dat Lucie, zo op het eerste gezicht, lijdt aan BDD. 'Dat is de afkorting voor Body Dismorphic Disorder. Misschien helpt het je om eens op internet te kijken, al vind je daar gevallen van oudere meisjes, vrouwen, ook mannen kunnen gevoelig zijn voor hun uitstraling, hun uiterlijk. Eke, er staan zelfs forums op van mensen die eraan lijden. En er is zeker wat aan te doen, maar dat kost tijd. Je kent de verhalen toch wel van mensen die hun neus laten opereren en naderhand, met de fraaiste neus die je bedenken kunt, nog niet tevreden zijn? Kijk, het gaat niet om die neus, die afwijzing zit vanbinnen. Je kunt praten wat je wilt, zeggen dat ware schoonheid vanbinnen zit... dat werkt niet.'
Eke zucht. 'Ik heb al tegen haar gezegd dat ze door God is geschapen en dat er niets mis is met hoe ze eruitziet. Niets hielp en het is zo erg om dat kind zo ongelukkig te zien. Peter is zelfs woest op haar

geworden. Dat was een drama. Ze is nu al drie dagen niet naar school geweest, wil geen klasgenootjes ontvangen. Ze zegt zich zelfs voor haar uiterlijk te schamen.'
Stilte. Annelies probeert zich in Eke te verplaatsen. Ze is dan zelf wel geen moeder, maar de nodige beroepservaring en theoretische kennis heeft ze wel. 'Wat we kunnen doen, Eke, is het volgende.'
'Pillen? Medicatie?'
Annelies schudt langzaam haar hoofd. 'Nee, niet om mee te beginnen. Antidepressiva helpen wel de algehele toestand wat op te krikken, maar vanwege de bijwerkingen wil ik daar niet meteen mee beginnen. Ik denk dat het goed is om te beginnen met therapie. Ik weet dat er groepstherapieën zijn, maar niet hier in de omgeving. Buiten dat: wil een meisje als Lucie zich in een groep wel blootgeven? Ik denk dat ze daar nog niet aan toe is. Ik kan je voorlopig deze raad geven: ga niet in discussie over haar uiterlijk en spreek haar vooral niet tegen. Zeg dat ook tegen je man, dat hij voorzichtig met haar moet zijn. Want de storm die in haar binnenste woedt, is niet mis. Vergelijk het maar met anorexia. Mensen die daaraan lijden zien zichzelf ook anders dan de werkelijkheid. En ja, probeer haar weer naar school te krijgen, luister naar haar, Eke! Ook als je vindt dat ze ongelijk heeft. Voor haar is het de werkelijkheid. Echt, het is geen aanstellerij, geen onzinverhaaltje. Ik weet van iemand die zelfs op dat onderwerp is gepromoveerd. Zeg dat maar tegen Peter!'
Eke klemt haar handen ineen om het trillen te verbergen. 'Ik voel me zo alleen in de strijd. Wil jij niet eens met Peter praten?'
Annelies kan niet anders dan toestemmen. 'Komen jullie samen een keer naar de praktijk, op de Marktstraat. Laat Peter zelf op internet die fora lezen. En voor ik het vergeet: je zult de schooldecaan moeten inlichten. In verband met verzuim, afwijkend gedrag. Dat soort dingen.'
En nog is Eke niet uitgepraat. Ze haalt aan dat ze tijdens haar ziekzijn en ziekenhuisperiode er niet was voor de kinderen. Er kwam te

veel op Lucie af. 'Ze was opeens geen kind meer.'
Annelies wil Eke bemoedigen. 'Ga jezelf nu geen verwijten maken, Eke, daar schieten we niets mee op. Natuurlijk kan dat alles meegewerkt hebben, maar zeker is dat niet. Vergeet niet de aard van het beestje. Is ze altijd al onzeker over zichzelf geweest? Snel geïntimideerd? We moeten vooruitkijken. Ook al zou je achter alle oorzaken komen, dan nog weet je vaak niet hoe te reageren. Maar nu kun je verder. Natuurlijk zullen we op tegenstand stuiten. Ik weet hoe meisjes van dertien, veertien jaar in elkaar zitten. En gemakkelijk is het niet, dat moeten ouders beseffen. De eigen puberteit ligt zo ver achter je!'
Eke pakt de laatste tissue uit het pakje en snuit haar neus. 'Je weet niet hoe dankbaar ik ben dat ik mocht komen. En dat je er begrip voor hebt. Ik heb nieuwe moed gekregen. Laatst zei ik tegen haar: "Nou en? Dan bén je maar de lelijkste van de klas. En kijkt iedereen op straat naar je om... wordt er over je gepraat." Toen moest ze even lachen, omdat ik overdreef.'
'Goed zo!' lacht Annelies. Ze gaat staan, het is ondertussen halftien geweest. 'Wat spreken we af, Eke? Denk je dat je Lucie en Peter meekrijgt naar de Marktstraat? Ik heb haar bij de opvang op de boerderij weleens gezien, het is een leuke meid, om trots op te zijn. Jammer dat ze het zo moeilijk heeft. Maar we komen eruit!'
Eke gaat ook staan en knikt. Het lichte haar kan nu met een ragebol vergeleken worden. 'Geloof me, ik bid dag en nacht voor het kind. En dat doet ze zelf ook, zeker weten. God, haar hemelse Vader, wil toch niet dat ze op die manier leeft?'
Eke verwacht een bevestigend antwoord, dat krijgt ze niet. Hemelse Vader, dat begrip gaat het verstand van Annelies te boven. Hoe komt het toch dat sommige mensen alles wat de dominee zegt, accepteren? Ze gooit het er per ongeluk uit. 'Zegt de dominee op zondagochtend zulke dingen?'
Eke loopt mee naar de hal, wacht tot Annelies haar in de jas helpt.

'Ook, soms als het zo te pas komt. Maar de Bijbel staat er vol van. Vanaf de schepping, toch? Maar ja, wij leven in dit tranendal, een zondige wereld met uitzicht op volmaaktheid. Helaas moeten we eerst hier onze weg vinden. Ook mijn Lucie. Weet je wat haar naam betekent? Glanzend, bij de dageraad geboren. Mooi toch?'
Annelies moet de neiging Eke te knuffelen onderdrukken. Vóór alles moet ze professioneel blijven. 'Kan niet beter, Eke, We krijgen haar wel weer glanzend! Mooi vooruitzicht. Houd haar morgenochtend nog thuis, praat met haar over ons gesprek en vertel dat ik haar graag wil helpen. Niet om de oude te worden, maar een nieuwe, stralende Lucie!'
Eke legt haar ene hand op de deurknop, met de andere houdt ze die van Annelies vast. 'Met Gods hulp moet het lukken. Bid en werk, dat is het. Wel, wij zullen werken aan haar genezing! Ik heb vanavond veel om voor te danken, Annelies. Dank voor je luisterend oor.'
En dan is Eke weg. Ze roffelt de trap af en even later hoort Annelies, die nog steeds op de mat bij haar voordeur staat, de deur van het magazijn in het slot vallen. En als even later een auto wordt gestart, staat ze er nog.

'Je klinkt of je je het geval van dat jonge meisje persoonlijk aantrekt,' zegt Ron.
Hij en Annelies zitten tegenover elkaar in de nieuwe, half ingerichte werkkamer aan de Marktstraat. Annelies kleurt. 'Klinkt als een berisping. Ik vroeg je raad niet, ik vertelde het alleen maar!'
'Goed... goed. Nu moet ik eerlijk bekennen dat ik nog nooit zulke problemen met zo'n jong kind heb meegemaakt. In theorie natuurlijk wel. Ik kan het alleen vergelijken met meiden die aan anorexia lijden.'
Nee, ze wil hem niet om raad vragen. Ook niet aan haar ouders. Trouwens: wat is ervaring nu helemaal? Ieder geval is anders en vraagt om een eigen aanpak. 'Het is alleen... de moeder, Eke Hui-

zinga, haalt steeds God en gebod erbij. Daar kan ik niets mee, Ron! Alsof de Heer zo genadig is en gebeden om hulp en genezing verhoort. Mooi dat ze daar steun aan heeft, maar om er nu een therapie op te baseren...'

Ron houdt geen oog van haar af. Steunt met de ellebogen op de stoelleuningen en zet de vingertoppen van beide handen tegen elkaar als een brug. 'Die mensen leven vanuit hun geloof, Annelies. Jammer dat jij er niet in kunt meegaan, nu je zo dicht bij hen komt te staan. Het is méér dan een loze kreet, een verzinsel. Maar laten we het daar een andere keer over hebben. Ik wil nu weten wat je van mijn bevindingen vindt!'

Annelies dwingt zichzelf bij de les te blijven. De door Ron benaderde directeuren van basisscholen hebben allemaal positief gereageerd, al hebben sommigen wel opgemerkt dat er elders in de omgeving een filiaal van een landelijke organisatie is. 'We zijn ook gewaarschuwd dat we de zogeheten schooladviesdienst niet in de wielen mogen rijden, wat niet ons plan is. Men voelt over het algemeen veel voor een bureau dat dichterbij staat. En niet alleen voor schoolkinderen is bedoeld. Dat belooft genoeg om te durven starten. Ik heb een vergadering uitgeschreven en sommige leraren brengen een of meer bestuursleden mee. Want problemen met kinderen en de gezinnen waar ze uit komen, zijn er genoeg. Dat heb ik begrepen. Nu de voorlopige website.'

Annelies is weer een en al aandacht. 'Zeker weten dat die vaak bekeken wordt. Zo jammer dat mensen doorgaans te lang wachten om om hulp te vragen. Zoals bij Lucie Huizinga. Dat kind heeft te lang op haar tenen gelopen toen haar moeder zo ziek werd en het onzeker was of ze het zou halen. Had ik het maar eerder geweten, want vlak daarna kwam ik vaak bij Susan over de vloer...'

Weer Lucie Huizinga. Ron heeft inmiddels door dat als het erop aankomt, Annelies niet goed raad weet met dit geval. Een meisje van haar leeftijd dat zichzelf niet de moeite waard vindt. Ron knikt,

vraagt zich af of ze dit 'geval' samen zullen behandelen. Maar waarschijnlijk is dat Annelies' eer te na.
'We kunnen natuurlijk de speelkamer die ik hier in huis al heb, gebruiken voor de observaties van de jonge kinderen. Ron, we zullen in het begin nog best tegen dingen aanlopen. Maar samen gaan we het redden.' Ze kleurt bij die woorden. Dat 'samen' klinkt zo intiem. Ogenblikkelijk plaatst ze dat woord in een andere context.
Haar verwarring ontgaat Ron, die haar woorden beaamt. Dan schakelt hij over naar een ander onderwerp. Klaagt over de aannemer die met zijn nieuwe huis bezig is. 'Het schiet niet op, de aannemer verschuilt zich achter bedrijven die materiaal moeten leveren en failliet zouden zijn. Ineke staat te popelen om tegeltjes uit te zoeken. Die taak heb ik haar gelaten, het maakt mij niet uit of ik in een wit, groen of bruin bad stap!'
Annelies ziet het voor zich, een naakte Ron die in bad stapt. 'Nou, je noemt kleuren die helemaal uit zijn. Somber, dat bruin en groen is echt gedateerd.'
Ron glimlacht, is met zijn gedachten alweer bij de toekomstplannen voor hun bedrijf. 'We moeten ons aan vaste regels houden, Annelies, aangaande de kosten van behandelingen. Maar die punten neem ik wel voor mijn rekening. Ik hoop ooit zover te komen als je ouders nu zijn: werken met de kennis die je hebt, studiemateriaal in boekvorm uitgeven. Kortom: dingen doen die je beheerst en die je een kick geven. Ze boffen dat ze hetzelfde vak hebben.'
Annelies bespaart hem de verhalen die ze zelf zo vaak heeft moeten aanhoren. Hoe Annie en Flip elkaar in de collegebanken hebben leren kennen. Samen stage liepen, hun scripties schreven, elkaar bemoedigden. Als Ron geen relatie met Ineke had, wist ze wel wat haar te doen stond. Dan maakte ze werk van hem. Maar stoken in een relatie, dat doe je niet. Helemaal niet als het al zo serieus is dat ze samen een huis aan het verbouwen zijn. Ze houdt zich voor dat ze dankbaar moet zijn: een leuke baan, geweldig appartement, toekomstplannen.

'Dat was het voor vandaag. Heb je nog afspraken?'
Annelies zucht. 'Ja. En wat voor een. Een kleine, verwende driftkop. Maar als ik aan die ouders denk, slaat de angst me om het hart. Geloof maar niet dat die pappie en mammie zich laten sturen. Het foute gedrag van het kind is volgens hen veroorzaakt door opa en oma, die vanaf de geboorte hebben opgepast. En het kind verkeerd hebben begeleid. Gemakkelijk toch, als je anderen de schuld kunt geven!'
Ron zegt dat Annelies dit soort uitspraken moet negeren. 'Houd maar voor ogen dat je met het kind te maken hebt, niet met moeder. Hoe pak je het aan?'
Annelies gaat staan, het is bijna tijd om naar de speelkamer te gaan. 'Het jochie speelt graag met de poppen en het poppenhuis. In de speelkamer ontdek ik veel over hem. Raar, maar ik kan wel met het kind overweg, de juf op school totaal niet. Enfin, we komen er wel uit.'
Ron plukt zijn leren jasje van een stoel en schiet het aan. 'Ongetwijfeld. Je hebt iets, Annelies, dat jonge kinderen aantrekt. En als je wilt praten over die Lucie... twee weten meer dan één. Trouwens, een van de schooldirecteuren die ik sprak informeerde of we een specifiek christelijk bureau wilden oprichten. Daar was volgens hem behoefte aan. Ik deed het idee van de hand, wetend dat ik het dan zonder jou zou moeten doen, en dat is niet volgens de afspraak.'
Annelies blaast haar wangen bol. 'Kom nou! Je achtergrond bepaalt toch niet of je een probleemkind kunt behandelen of niet. Je kunt net zomin christelijke gymnastieklesjes geven.'
Ron lacht fijntjes. 'In theorie heb je gelijk. Maar de sfeer die de gymleraar creëert, maakt wel wat uit. En hoe de normen en waarden gezien worden. Hier praten we een andere keer wel over, Annelies. Dat is nu niet aan de orde!'
Hij steekt als groet een hand op en Annelies hoort hem even later in

de gang praten met de moeder van haar nieuwe kleine klant. Toch eens informeren hoe Annie en Flip reageren als er tijdens een sessie over godsdienst wordt gesproken. Tegenwoordig gaat het niet alleen om mensen uit de bekende kerken. Nee, er zijn allerhande buitenlandse invloeden. Ze moet bekennen niet op de hoogte te zijn van de ins en outs van wat moslims belijden. Net zomin als het christelijk geloof haar wat zegt, eigenlijk. Behalve dat met Kerstmis herdacht wordt dat het kindeke Jezus in de kribbe werd gelegd.
Ze schudt haar wilde haardos. Misschien is het toch wel goed als ze op internet gaat zoeken of boeken uit de bieb haalt die haar wat over godsdiensten kunnen leren. Ach, wat bibliotheek... ze woont boven de boekhandel, allicht dat Thijmen Schreurs haar wat wijzer kan maken!

Lucie Huizinga is de wanhoop nabij. Therapie. Goed, een gesprekje op proef, heeft haar moeder gezegd. Maar dan nog. Het liefst zou ze zich in een aardappelzak willen verstoppen in plaats van, zoals mam voorstelde, zich 'wat op te knappen'.
Ze kent die mevrouw Bussink niet echt. Alleen van gezicht. Ze heeft haar weleens bij de familie van de biologische boerderij gezien. Een vrouw met een lachgrage mond. Ja, ze kan schateren. Alsof het leven zo leuk is! En ze heeft een ontzettend wilde haardos. Zou je mama moeten horen als zij, Lucie, of een van de andere kinderen uit het gezin, er zo bij zou lopen! 'Naar de kapper jij, en gauw ook!' Of mama knipte zelf.
Best een aardig mens, die Annelies Bussink. Maar om je hart bij uit te storten! Ze weet niet hoe te beginnen. En zeker weten dat ze achter haar rug om uitgelachen wordt. Er is toch niemand die haar snapt. Laat staan dat ze zichzelf snapt. Was ze maar dood, maar dat mag ze van papa niet zeggen. Goed, dan anders: was ze maar nooit geboren.
Ze kijkt in de spiegel van de badkamer en wat ze ziet maakt dat ze beide handen voor haar gezicht slaat.

'Lucie?'
Lucie kijkt verschrikt. Ze heeft niet gemerkt dat de jongste uit het gezin haar achterna kwam.
Louk gluurt tussen haar vingers door. 'Doe jij kiekeboe? Helemaal alleen? Mag ik meedoen?'
Op dat moment hoort ze haar moeder de trap op komen. Arme mam, ze heeft het maar moeilijk met een dochter als zij. 'Kindje,' zegt Eke, 'we moeten nu echt gaan. Het staat zo dom om te laat te komen. Een kam door je haar en klaar ben je. Zal ik je...'
Helpen? Liever niet. Lucie slaat de hand van haar moeder van zich af. 'Sorry, mam... laat maar. Moet het echt?'
Eke zou haar kind in de armen willen nemen. Ze knikt en zegt: 'Louk, trek je jasje aan, de buurvrouw neemt je mee boodschappen doen. Schiet op, wil je?' Ze trekt Lucie aan een hand mee, weg van de spiegel. 'We kunnen het niet maken om te laat te komen. Zo erg is het toch niet? Bovendien heb je Annelies op de boerderij van Slot best eens gezien. Ze is echt heel aardig.'
Lucie bromt wat voor zich heen, maar laat zich door haar moeder aan een hand meetrekken. Beneden, in de gang waar kinderjassen, laarzen en schoenen voor geordende chaos zorgen, mijdt Lucie de spiegel aan de wand. 'Mam...' Ze blijft opeens stokstijf staan, haar jas nog maar half aan.
Eke trekt een muts over haar lichte haar. 'Schiet nou op.'
'Mam, ik doe toch niet... het is toch niet mijn schuld... je wordt toch niet weer ziek of zo, door mijn schuld?'
Eke trekt het meisje stevig tegen zich aan, haar blik valt op de spiegel. Het is alsof ze een paspop uit een kledingzaak vasthoudt. Zo voelt Lucie aan en zo ziet ze er ook uit. Een verdwaalde kus op de kruin. 'Zet een muts op, het is erg koud. En natuurlijk maak jij mij niet ziek. Bovendien ben ik nu gezond verklaard. Helpt het als ik zeg dat je er leuk uitziet in dat nieuwe jack?'
Ze trekt het meisje mee, door de voordeur naar buiten. Louk hobbelt

achter hen aan en verdwijnt in de richting van het buurhuis. Als ze in de auto stappen, horen ze Louks stemmetje kwetteren.
'Gordel om, meid!' zegt Eke.
Lucie haalt haar schouders op. Waarom zou ze?
'Maar goed dat papa zo lief was om met de fiets naar kantoor te gaan. Kunnen wij lekker met de auto.'
Zo gauw ze het dorp uit rijden, zien ze een sliert schoolkinderen op het fietspad. Snateren, lachen en af en toe een gilletje. Lucie duikt omlaag, zodat ze niet gezien wordt.
Eke klemt haar kaken op elkaar. Denk je dat jij je leven weer op de rails hebt, vraagt ze zichzelf. Mooi niet. Ziek zijn, de angst het niet te zullen halen, was onvoorstelbaar erg. Maar dit... Dit met Lucie snijdt dwars door haar moederziel.
Het is maar een paar kilometer naar de stad. Eke remt af, neemt een afslag op de rotonde. Vanwege de temperatuur zijn er weinig winkelende mensen maar waar water is, is ijs, en dáár is het een drukte van belang. Jong en oud hebben de schaatsen uit het vet gehaald.
Op de Marktstraat is het, zoals altijd overdag, niet gemakkelijk om een parkeerplaatsje te vinden. Lucie helpt vlijtig zoeken, zoals ze altijd heeft gedaan. 'Daar, die mensen lopen met een sleutel in de hand. Jawel, opschieten mam, van de andere kant komt ook een zoekende auto.'
Eke slaakt een zucht van verlichting als ze keurig geparkeerd heeft en uitstapt om een bonnetje te trekken. Hoelang zou ze nodig hebben? Maar niet te krap rekenen. Ze zou Lucie willen toeroepen: 'Niet weglopen, hoor!'
Als ze met bonnetje terugkomt, zit het meisje nog in dezelfde houding als daarnet. Ze legt het papiertje op het dashboard en loopt om de auto heen. 'Uitstappen, dametje!' Ze probeert luchtig te doen, maar het komt niet over.
Lucie gehoorzaamt. Als ze jonger was geweest, zou ze luidkeels gejammerd hebben vanwege de buikkrampen. Zenuwen, weet ze

ondertussen. Een vertrouwde reactie.
Haar moeder wijst op een prachtig gerenoveerd pand met een indrukwekkende voordeur. Daarnaast een fraai bord waarop de namen en de functie van de bewoners staan. 'Zitten ze allemaal hier? De hele familie? Ik heb toch alleen met die Annelies te maken?'
Eke pakt de hand van haar dochter, trekt haar mee de treden op en drukt op de bel. 'Met haar ouders heb je niets te maken. Ik geloof dat die aan een boek werken. Het zijn heel intelligente mensen.'
Aan de andere kant van de deur klinkt het klikklakken van schoenzolen. Daar verzamelt Annelies moed. Ze ziet tegen de ontmoeting met Lucie op.
Met een zwaai gaat de deur open, warmte komt hen tegemoet. 'Kom gauw binnen. Mijn moeder zei vroeger, als ik de voordeur niet op tijd dichttrok: "Ik stook niet voor het heelal!" Zo is het maar net.' Ze geeft Eke een hand, en dan Lucie. 'We kennen elkaar al een beetje. Ik heb je vaak met de kleintjes zien lopen. En een keer zag ik je op de pony van Eveline Schreurs. Hoe heet het dier tegenwoordig? Eveline geeft hem om de paar weken een nieuwe naam!'
Lucie haalt haar schouders op. De pony van Eveline. Als iets haar niet boeit, is het die pony, en zijn naam al helemaal niet.
Annelies wijst waar ze hun jassen kunnen hangen. 'Eke, wat denk je: kies je voor de wachtkamer of heb je boodschappen te doen?'
Eke heeft haar jas al uitgetrokken. 'Nu je het zegt. Ik ga in het warenhuis een kopje koffie drinken en daarna wat winkelen. Zoals gewoonlijk heb ik een boodschappenbriefje in mijn portemonnee.'
'Prima. Dan zie ik je over drie kwartier terug. Lucie, deze kant op!'
Lucie is even afgeleid door wat ze ziet. Ze is nog nooit in zo'n deftig huis geweest. Hoe zou het zijn om hier te wonen? Plaats voor de hele familie.
Annelies heeft ervoor gezorgd dat de uitstraling van haar werkkamer gezellig is. Leuke kleuren, neutraal maar rustgevend behang en op de plankenvloer een karpet. Lucie kijkt angstig naar het bureau. Aan

weerskanten staat een stoel, het doet haar denken aan de spreekkamer van een arts.
Annelies wijst op een knus zitje vlak bij een raam. Op tafel liggen een pen, een blocnote en een doos tissues. En een ding dat vast een opnameapparaat is.
Annelies vraagt of Lucie wat wil drinken. 'Ik heb van alles, fris, kopje thee?'
Met schorre stem komt het eruit: 'Misschien cola?'
In een hoek van de kamer staat een koelkast met het uiterlijk van een meubelstuk. 'Ik heb cola light, is dat ook goed?'
Lucie knikt.
'Ik heb ook dorst, zou dat van het weer komen? Ook zo'n uitdrukking van mijn moeder. Te pas en te onpas zegt ze: "Dat ligt aan het weer!" Als je slecht slaapt, geen eetlust hebt, hoofdpijn of weet ik wat: het weer krijgt de schuld!'
Lucie glimlacht flauwtjes en gaat in een stoel zitten. Haar keel is droog, de cola is welkom. Annelies kwebbelt door over onbelangrijke dingen. Tot ze zegt: 'Je vindt het niet bepaald een feestje, hè, om hier te komen praten. Heus, ik snap dat best. Laat ik beginnen met een bemoediging: samen gaan we eruit komen. Hoe dan ook. Weet je dat erover praten al helpt? Echt waar, dat heb ik zo vaak meegemaakt! Met je moeder heb ik een gesprekje over jou gehad. Dat scheelt een stuk, hoor. Dat ik er al wat van weet. Maar natuurlijk is het erg belangrijk dat jij me zelf vertelt wat je zo moeilijk vindt. En als je het fijner vindt: ik wil ook wel beginnen met je een paar dingen te vragen. Dat is misschien wat gemakkelijker!'

Het eerste halfuur verloopt traag. Slopend, voor beide partijen. Maar Annelies had niet anders verwacht. Ze ziet best dat Lucie de grootste moeite heeft om niet in tranen uit te barsten. Ja, ze is begaan met het meisje, dat nog lang niet volwassen is, maar ook geen kind meer.
Nog een blikje cola helpt een beetje. Wat Lucie prijsgeeft, is in chro-

nologische volgorde. Op school, speelse plagerijen die niets om het lijf hebben, maar ze kwetsen haar diep. Vroeger, ja, op de basisschool, toen had ze vriendinnen genoeg en zelfs een vriendje. Maar nu, in de brugklas waar zo veel nieuwe gezichten zijn, weet ze niet meer hoe om te gaan met de leeftijdgenootjes. 'Ik doe maar wat. Meestal probeer ik wat langer in het lokaal te blijven, maar dat mag niet, dus zoek ik mijn heil op de toiletten of bij de kluisjes. En al de meisjes die ik kende, hebben nieuwe vriendinnen en zo. Geen wonder. Sommigen zien er... cool uit. Ze hebben lang, glad haar. Dat van mij kroest als het regent.'
Er is een begin gemaakt. Lucie klinkt berustend, als een oude dame die haar kwaal heeft geaccepteerd, het onvermijdelijke onder ogen ziet.
Als er een stilte valt, informeert Annelies wat Lucie verwacht van de gesprekken die ze zullen voeren. Het kind haalt de schouders op en kijkt Annelies schuw aan. 'Je kunt mijn uiterlijk toch niet veranderen en voor cosmetische operaties ben ik te jong, zeggen ze. Moet je mijn vader horen...'
Annelies wil wel weten wat de vader zoal opmerkt. Heel even kijken ze elkaar recht aan, dan buigt Lucie weer haar hoofd, en wel zo dat het haar voor haar ogen valt. 'Nou ja, dat het zondig is om te mopperen over je uiterlijk, omdat je door God geschapen bent. Een tijd terug bad ik iedere avond of Hij me in de nacht mooi wilde maken. Dan rende ik naar de spiegel... belachelijk toch. Zulke dingen doet God natuurlijk niet. En dan mama! Die koopt de duurste kleren voor me. Iemand riep een keer: "Een vlag op een modderschuit." En nou ja, ik weet niet zeker of het tegen mij was, maar het moet haast wel. En een andere keer... ken je die? "Al draagt een aap een gouden ring, het is en blijft een lelijk ding." Wie het zei, weet ik niet meer.'
Annelies zou willen roepen: 'Als ze gelijk hadden, zou het gemeen zijn. Maar jij bent zo leuk om te zien!' Maar ze houdt zich in, wetend dat wat ze ook in dit stadium zou zeggen, het niets zou uithalen.

Misschien moet ze er toch eens met Annie over praten.
Het laatste kwartier vliegt voorbij. 'Lucie, de tijd is alweer om.' Annelies gaat staan en kijkt op het ongelukkige hoopje mens neer. 'Ik hoop zo dat je akkoord gaat met een nieuwe afspraak. Ja? Geweldig. Weet je, dan geef ik je huiswerk mee. We spreken af dat je iedere dag een paar regels voor me opschrijft. Maakt niet uit wat. Kijk, ik heb een schrift voor je. En als je niets weet te schrijven, dan teken je maar wat. Spreken we dat af?'
Lucie kijkt haar bijna medelijdend aan. Kinderachtige opdracht. 'Moet dat echt?'
'Ja, het moet echt.'
Ze knikt gelaten. 'Ik wou dat ik niet meer naar die rotschool hoefde.'
Annelies zegt dat te begrijpen. 'Maar wat is het alternatief, meisje? Dan blijf je zitten, kom je bij jongere kinderen in de klas. Zou je dat willen? Dan verlies je alle aansluiting.'
Dat laatste woord maakt iets los bij Lucie. Aansluiting? Of ze dat nu wel heeft... iedereen is tegen haar. Moet je sommige leraren zien kijken. Ze maken dubbelzinnige opmerkingen.
Dan komen er toch nog tranen. Annelies grijpt automatisch naar de doos met tissues, maar Lucie heeft al een zakdoek uit haar broekzak getrokken. En huilt heel even onbedaarlijk.
'Ach, meisje dan toch. We gaan eraan werken dat er in jouw hoofd een knop omgaat. Dat je met andere ogen naar jezelf kijkt. Zeker weten dat dat moment ooit aanbreekt!'
Ze lopen samen naar de voordeur en als Annelies door de gaatjes in het metalen venster voor de raampjes gluurt, zegt ze dat Eke er net aan komt lopen. 'Kop op, Lucie! Vergeet niet morgen meteen wat in ons schrift te schrijven. En nee, je hoeft het thuis aan niemand te laten lezen.'
Haar hart draait zich om als ze Ekes gezicht ziet: een en al gespannen verwachting. Alsof zij, Annelies, met een toverstafje zou kunnen zwaaien en alles in één keer kon oplossen! Ze fluistert vlug in een oor

van Lucie: 'Als jij volwassen bent, meisje, ben je net zo'n mooie vrouw als je moeder nu is!' En tegen Eke zegt ze: 'Je mag haar terug. Ik kijk nu al uit naar onze volgende afspraak. Zelfde dag, zelfde tijd!'
Eke wordt niets wijzer, moet maar raden hoe het gesprek is verlopen. Want Lucie is niet van plan wat dan ook los te laten.

# 6

Vanaf dat Annelies haar beroep uitoefent, heeft ze zichzelf aangeleerd om dat wat ze daags zoal aanhoort en meemaakt, niet mee naar huis te nemen. En dat is haar tot op heden behoorlijk gelukt. Als ze het al eens moeilijk had met een bepaalde persoon en diens situatie, stond ze zichzelf toe er een halfuur over na te denken, en dan was het over en uit.

Nu, met Lucie, heeft ze het er moeilijk mee. 's Avonds slaat ze vakliteratuur op, maakt notities en vraagt zich ernstig af of het kind bij haar wel aan het goede adres is. Ze kent in de Randstad enkele mensen die vaker met het bijltje hebben gehakt, zeker weten! Ze zou een van hen om raad kunnen vragen, maar daar ziet ze van af. En Lucie, die het toch al zo zwaar heeft, uit haar vertrouwde omgeving halen, daar ziet ze niets in.

Ron ontdekt al snel wat Annelies dwarszit. 'Het is dat kind van Huizinga, nietwaar? Wil je erover praten? Ik zou je willen helpen. Soms heb je het gevoel vast te zitten in de behandeling, tot er opeens een doorbraak komt. Dat weet je zelf toch ook, uit eigen ervaring?'

Heel voorzichtig laat Annelies iets los. Maar niet te veel, want al is Ron een collega, ze wil het vertrouwen van Lucie niet schenden.

'Laten we afspreken, Ron, dat als ik het niet meer zie zitten, je me komt helpen. In theorie is het simpel, maar als ik dat witte snuitje zie, dan wordt mijn hart erbij betrokken. En dat moet niet!'

Ze lopen de korte afstand van de dorpsschool naar het aanstaande huis van Ron en Ineke. De verbouwing ligt vanwege de koude even stil. Maar binnen kan wel gewerkt worden, zij het op beperkte schaal.

'Het is een goed idee om van twee huizen één te maken. Hoe kwam men er in de jaren vijftig toch toe de huizen zo klein te maken!'

Ron heeft een verklaring. 'Dat was de naoorlogse tijd. Mensen stelden in verhouding met nu weinig eisen. Tegenwoordig moet van alles en nog wat mogelijk zijn. Kinderkamers, een vertrek waar sportattributen kunnen staan, hobbyruimte, flinke keuken, ik noem maar wat. Er is een tijd geweest dat de huiskamer gebruikt werd om 's avonds na het werk uit te rusten. Een tafel, een paar stoelen... tv was er nog niet. Ik bedoel maar.'

Annelies bekijkt de gevel, die al voor een deel gereed is. De bouwvakkers hebben knap werk geleverd. 'De kleur van de nieuwe stenen komt overeen met die van de oude,' vertelt Ron. 'De huizen waren erg goedkoop, we zijn voordeliger uit dan wanneer we een compleet nieuwe woning gekocht zouden hebben. En Ineke vindt...'

Annelies sluit zich af. Ineke Slot, een leuke juf, aardige meid om mee om te gaan. Maar helaas de vriendin van deze aantrekkelijke man. 'Wat wilde je me eigenlijk laten zien?' valt ze hem in de rede.

'Ineke en ik zijn het niet eens over de achterkant van het huis. Ik wil een schuifpui, Ineke een uitbouw. Een soort serre. Af en toe vraag ik vrienden om hun mening. Alleen om er een frisse kijk op te hebben.'

Rond het huis is het een bende van jewelste. Bouwafval, bevroren plassen waarover planken en metalen platen zijn gelegd. De achtertuin is verrassend lang. 'En breed!' straalt Ron. 'Twee tuinen breed. We hebben nog een verschil van mening, trouwens. Ik wil een terras, alsjeblieft geen gazon dat wekelijks gemaaid moet worden. Maar mijn Ineke heeft boerenbloed in de aderen en wil het liefst een groentetuintje, daarachter bij de schutting. Het zou erop neerkomen dat ik degene ben die moet wieden!'

Annelies lacht maar wat. 'Ik ben het met Ineke eens, Ron, over die uitbouw. De tuin is groot genoeg en een serre vergroot je leefruimte.'

Ron bromt dat het vast doorgestoken kaart is. 'Zeker weten dat ze je niets heeft ingefluisterd?'

Annelies lacht. 'Vrouwen hebben een betere kijk op zulke dingen. Ineke denkt misschien aan een grote kinderschare en dat vraagt om een ruime woonkamer.' Wat daast ze nu toch.

Ron lacht vermaakt. 'Tja, als je het zo ziet... Bedankt, collega. Kom op, dan zijn we nog op tijd voor de vergadering met het schoolpersoneel. Ineke baalt altijd van vergaderingen, omdat haar baas niets liever doet dan anderen zijn wil opleggen. Maar nu het om onze plannen gaat, is ze de bereidwilligheid zelf.'

Ineke komt hen tegemoet. Ze haakt in bij Annelies. 'Wat vond je van ons hutje?'

'Om jaloers op te worden!' Dat is de waarheid, en niets dan de waarheid.

Ineke roept luidkeels dat Annelies zich moet schamen. 'Het wachten is op een uitnodiging van jou voor je housewarmingparty! Lars zei onlangs al...'

Annelies doet beide handen voor de oren.

De directeur, Pelle Haagen, staat met een andere collega te praten, zwaait met zijn armen richting kantoortje als moet hij groot verkeer regelen. 'Vandaag wil ik horen wanneer we een lijstje met probleemgevallen kunnen indienen! De schoolarts zei ook al...'

'Het sneeuwt alweer!' roept Ineke, en dat feit legt Pelle Haagen voor even het zwijgen op.

Annelies is verwonderd bij thuiskomst Sigrid aan te treffen, die met zware tassen richting magazijn loopt. Ze stapt zorgvuldig over het smalle, schoongeveegde paadje van de parkeerplaats.

'Wacht nou even! Sigrid!' Dat is Eveline, die de deur van hun auto dichtgooit en met een overvolle boodschappenmand komt aanzeulen.

'Wat is er?' Annelies kijkt van de een naar de ander.

Sigrid antwoordt pas als ze binnen zijn, ze stampt de verse sneeuw van haar laarzen. 'Je feestje. Zelfs tante Ada vroeg wanneer het zover was!'

'Je bedoelt juffrouw Berkhout? Ze is écht een tante van je?'

Sigrid puft uit en zet de tassen onder aan de trap. 'Jaja, oudtante. Zo lang ken ik haar nog niet, hoor. Toen ze eenmaal een computer had, was ze niet te houden. Ze ontdekte e-mail, zocht namen en adressen

van familie. Op die manier zijn we aan elkaar gekomen. Kijk niet zo somber!'
Eveline is de trap al op, bonst op de deur. 'Komen jullie nog?'
Annelies kan niet anders dan de zware tassen van Sigrid overnemen. 'Wat zit hierin? Zeg niet dat het de bedoeling is dat...'
'Jawel, het is een cadeautje van je huisbaas, zullen we maar zeggen. En ik help wel met de uitnodigingen.'
Eenmaal boven dringt het pas goed toe Annelies door. 'Ik moet dus een feestje geven, omdat anderen dat leuk vinden? We zien nog wel!'
Nee, blij is ze er niet mee. Een opgelegd feestje. Hoe verzinnen ze het. Eveline danst door de kamer, duikt op de piano af en slingert het lopertje op de grond. 'Boer, daar ligt een kip...'
'Eveline!' Sigrid klinkt als een strenge moeder. 'Help liever de tassen uitpakken.'
Annelies staat er onbeholpen bij. 'En als ik nou eens geen zin heb in een housewarming, Sigrid? Ik ben zo druk als wat!'
Smoesjes, lacht Sigrid lief. 'Zelfs Thijmen verwacht een fuifje. Kom op, je kent al zo veel lui hier... de familie Schutte, Ineke en Arjan Slot, tante Ada, Thijmen en ik...' Eveline haast zich te roepen: 'En ik!'
Sigrid woelt even door het haar van het kind en vervolgt: 'Ik neem aan dat je ouders ook willen komen. O, en Dennis Versa, onze beroemde zanger. Hij en Lars zorgen wel voor achtergrondmuziek. Misschien wil je wat mensen uit je vorige woonplaats vragen? Desnoods creëren we slaapplaatsen in het magazijn. Dikke pret!'
Annelies zakt moedeloos op een keukenkruk en staart naar de inhoud van de tassen, die nu op het aanrecht ligt uitgestald. Chips, zoutjes, toastjes, allerhande potjes met paté en kaassmeerseltjes. Plastic bakjes en bordjes, vorkjes en lepels. 'Plastic glazen vind ik niet lekker drinken,' zegt Sigrid. 'Als je er niet genoeg hebt, kun je van ons lenen. Deze spullen moeten maar in de diepvries, die kun je op de avond zelf ontdooien en opwarmen in de oven. Saucijzenbroodjes en aanverwante artikelen. O ja, en servetjes. Kijk eens wat een leuke!'

Annelies kreunt dat ze het allemaal lief en aardig vindt, maar het is wel een aanslag op haar privacy. 'Ik heb er eigenlijk nog niet zo'n zin in, Sigrid. En als je om je heen kijkt, zie je dat ik nog maar amper op orde ben. Zijn hier bijvoorbeeld stoelen genoeg?'
Eveline jubelt dat ze op de verhoogde vloer voor de erker nog meer dikke kussens moet leggen. 'Dat staat leuk én het zit lekker. Toe, Annelies, kijk nou niet zo knorrig!'
Annelies schudt haar hoofd. 'Ik zal mijn best doen. Met zo veel lekkers in huis kan ik eigenlijk niet weigeren. Feitelijk is het te gek, al die inkopen. Eh... bedankt dan maar!'
Eveline graait in een bijna lege tas. 'Dit hebben we ook nog. De uitnodigingen. Die zijn uit de winkel. Weet je wat, ik zal ze voor je schrijven. Dat kan ik heel netjes. Papa zegt dat ik letters kan tekenen.'
Sigrid opent en sluit de keukenkastjes, op zoek naar ruimte om de lekkernijen op te bergen. 'Als je die trommels wat naar achteren schuift, heb je plek genoeg. Zal ik dan maar?'
Annelies kan niet anders dan behulpzaam zijn met het opbergen. 'Voor wanneer had je dat feestje gepland?'
'Jouw feestje, meid! Op een zaterdagavond.'
Annelies zuigt haar wangen naar binnen. 'Goed idee, dan kan iedereen zondag lekker lang uitslapen.'
'Nou ja,' glimlacht Sigrid, 'niet als je zoals wij naar de kerk gaan. Maar dat doet er niet toe.'
'Ik heb al een pen gevonden, op het bureau!' zegt Eveline dwingend. Ze gaat er demonstratief vóór zitten. 'Heb je een adresboek?'
Annelies zegt dat ze eerst een lijstje moet maken van wat nog gekocht moet worden. 'Cola, witte en rode wijn – iets sterkers haal ik niet in huis – cake of gebak...'
Sigrid zegt dat het ook een leuk idee zou zijn geweest als alle bezoekers iets eetbaars zouden meebrengen. 'Maar ja, dan heb je weer kans dat je te veel van het een krijgt en te weinig van wat je wel had willen hebben. Dat soort dingen. Nu heb je het zelf in de hand.'

Met haar mooiste handschrift vult Eveline de eerste bladzijde van een opschrijfboekje dat ze op het bureaublad vond. 'Is de moeder van Lonnie ook een vriendin van je? Mevrouw Huizinga? Lonnie vertelde dat ze weleens bij je op bezoek komt.'
'Doe maar niet,' zegt Annelies. 'Zo dik bevriend zijn we niet...'
Sigrid zegt het te begrijpen. 'Hoewel Eke een uitnodiging beslist zou accepteren. Zo veel komt die de deur niet uit.'
Eveline telt de zitplaatsen, met de pianokruk meegerekend zijn er genoeg. 'Sigrid, wij hebben op zolder nog een doos met vlaggetjes. Die kunnen we ook wel gebruiken. Ze zijn al heel oud, want mama heeft ze gekocht toen ik zes jaar werd.'
Annelies kijkt snel naar Sigrid. Stoort het haar niet als Eveline over haar biologische moeder praat? Maar ach, bedenkt ze, dit zal in huize Schreurs wel vaker gebeuren.
'Nu nog een datum!' Sigrid knoopt haar jas weer dicht. 'Wat dacht je van aanstaande zaterdag? Als je erg druk bent, wil ik de mensen wel telefonisch uitnodigen.'
Eveline protesteert. Ze heeft geen adresboek gevonden, maar wel een telefoonboek waar ze vlijtig doorheen bladert. 'Zit ik bij de verkeerde plaats. De meesten wonen in het dorp. Even zoeken... Slot, ik heb het. Raar hè, Susan heette eerst Schutte en nu Slot. En als Ineke Slot trouwt met Ron, heet zíj Schutte. Sigrid heet nu Schreurs. Als ik later trouw, wil ik mijn eigen achternaam houden. Schreurs. Daar ben ik aan gewend.'
Achter hen gaat geruisloos de deur open. Het aantrekkelijke gezicht van Thijmen gluurt om het hoekje. 'Al in feeststemming?'
Annelies bedenkt dat Sigrid boft met een man als Thijmen: alleen al die blauwe ogen, die vriendelijk de wereld in kijken. Net als Ineke geluk heeft de liefde van Ron gewonnen te hebben.
'Te gek, Thijmen, om je huurster zo te verwennen. En ja, nu moet ik wel, toch?'
Thijmen komt de kamer in, legt even een arm om Sigrid heen. 'Niks

geen moeten. Als er reden toe is, moet je genieten van dat wat mogelijk is. Blij met de blijden, dacht ik zo.'
Eveline duikt op haar vader af, dwingt net zolang tot ze de aandacht krijgt en nog een knuffel bovendien.
Thijmen kijkt de kamer rond. 'Het is gezellig geworden, Annelies. En je was precies op tijd, weet je dat ik na jouw bezoekje meerdere verzoeken heb gekregen voor de kamers? Zelfs iemand die er tijdelijk wilde wonen. Op de Marktstraat, ik geloof zelfs naast het huis van je ouders, is een pand schitterend gerestaureerd. Het kan je niet ontgaan zijn. Het is aangekocht door een man die er een restaurant begint. Alles is al rond. Alleen had meneer nog geen onderdak geregeld. Vandaar.'
Annelies zegt wat betreft de Marktstraat weinig om zich heen te hebben gekeken. 'Natuurlijk zag ik dat ze hier en daar nog bezig zijn. Ladders, steigers, veel kabaal. Maar ik had en heb wel andere dingen aan mijn hoofd. Nou ja, Thijmen, dan bof ik toch maar, want ik ben echt in mijn sas met dit appartement.'
'Dus!' roept Sigrid lachend. 'Zeker een feestje waard. Zaterdagavond, acht uur? Zien of het de anderen schikt?'

Als de drie zijn vertrokken, overvalt Annelies opeens de stilte. Ze gaat voor de erker staan, die op de winkelstraat uitkijkt. Schaatsende mensen en kinderen, het is net een schilderij van een oude meester. Te bedenken dat dit al honderden jaren, en nog langer, het stadsbeeld is geweest.
Ze verschuift een paar planten in de vensterbank die het goed doen: veel licht. Ze vraagt zich af waarom ze liever geen feestje wil. Is het alleen om Lars te vermijden? Natuurlijk niet. Ineke en Ron, hen samen te zien, dát kan ze bijna niet aan.
Is er nog een weg terug? Verhuizen, andere baan zoeken. Het kan allemaal, als ze het echt wil. Wil ze het wel? Ron, wat ze voor hem voelt, verwart haar zo. Het is een vorm van pijn, een zoete pijn.

Kan een mens tegen gevoelens vechten, ervan afkomen? Dat moet toch lukken. Zéker als je, zoals zij, psychologische kennis hebt.
Ze schudt wild met haar hoofd, veegt het haar uit de ogen. Afleiding zoeken, even de deur uit. Met nog geen tien minuten lopen kan ze in de Marktstraat zijn. Even buurten bij Annie en Flip. Mam en pap.
Al lopend knoopt ze haar jas dicht en trekt een warme sjaal hoog op tot ze er met haar halve gezicht in kan wegduiken. Ze loopt langs de etalages. Het is opruiming. Aan de andere kant de joelende jeugd op de schaats met hier en daar een volwassene. Kinderen die zich aan een stoel vastklampen. Peuters, voortgetrokken door vader, op een slee.
Ze steekt een brug over en gaat dan dwars door het warenhuis, waar de warmte haar als een troostende arm overvalt. Aan de andere kant weer naar buiten, meteen zoeken haar ogen langs de gevels. Inderdaad, het huis naast dat van Annie en Flip is zo te zien klaar, geen ladders, steigers of ander materiaal. Binnen branden lampen. Daar wordt kennelijk driftig gewerkt.
Met haar eigen sleutel doet ze de voordeur open. Het ruikt binnen naar boerenkool, het water loopt haar in de mond. Als Annie vraagt of ze blijft eten, weet ze het antwoord al.
Haar neus voert Annelies rechtstreeks naar de gezellige woonkeuken. Ze hoort een stem die ze niet kent. Ze zitten aan tafel, haar ouders en een man die het woord voert. Ze schat hem een jaar of dertig. Slordig gekleed, met een bos wilde krullen die niet voor die van haarzelf onderdoet. Alleen is de kleur niet uitgesproken; iets tussen bruin, donkerblond en een grijzige tint in.
'Daar is Annelies, onze dochter over wie we je net vertelden. Annelies, je brengt kou mee! Jas uit, dan kan ik je aan onze nieuwe buurman voorstellen!'
Flip pakt de jas van zijn dochter aan en houdt een hand op om de lange sjaal over te nemen. Annelies begrijpt: hier zit de man van het nieuw te openen restaurant. Ze geeft hem een hand en noemt haar naam.

'En ik ben Victor van Vaals. Leuk je te leren kennen.' Hij heeft een zonnige lach en ogen die blijmoedig de wereld in kijken. Hij draagt een verwassen T-shirt en een spijkerbroek met gaten.
'Er is nog veel te klussen,' zegt hij. 'Het eigenlijke werk moet nog beginnen, bedoel ik. De afwerking, we hebben nu nog slechts lege ruimten. In gedachten – en ook op papier – is het allemaal al klaar!'
Zijn handdruk is stevig en zijn houding ontwapenend. Het restaurant gaat Valentijn heten, vertelt hij. 'Het wordt wat bijzonders. Op het menu hopelijk uitsluitend biologische producten!'
Annie en Flip kijken elkaar stralend aan en Annelies begrijpt dat de link naar de biologisch boerende familie Slot al is gelegd. 'Dan heb je meteen een leverancier!' lacht ze.
Victor van Vaals knikt. Hij oogt als een gelukkig mens, tevreden met het leven. 'Kan niet beter, ik hoorde van je ouders over de bioboer. Ik heb al wel mijn adressen, maar niet zo in de buurt. Ik moet het van de streekproducten hebben. Zelfs zogeheten onkruid komt in mijn pannen terecht. Soms zelfs speciaal gekweekt onkruid!'
Annelies gaat zitten, blaast in haar verkleumde handen. 'En jij denkt dat je formule hier gaat werken? Reclame maken, denk ik zo. We zullen komen eten zo gauw je open bent. Is het niet, Annie?'
Annie giet de groentes af, op het aanrecht liggen een paar rookworsten te wachten. 'Natuurlijk. Reken maar. Victor, wil je blijven eten?'
Dat wil Victor maar al te graag. 'Als je me maar geen cijfer geeft. Ik kook op mijn manier. En mijn recept voor boerenkool is niets minder dan een familiegeheim!'
Annelies grinnikt om de fantasie van haar moeder.
Victor informeert naar het werk dat Annelies doet. En woont ze thuis?
'Nee, ik ben net verhuisd. Ik woon nu boven de boekhandel.'
'O, jij zit dus in het appartement dat ik op het oog had. Je bent mij voor geweest! Ik kreeg de tip van een aannemer, die zeker dacht te weten dat er nog niet geadverteerd was. Boffer! Maar voor mij was

het toch iets tijdelijks, want binnen korte tijd heb ik boven de zaak mijn eigen appartement.'
Flip schenkt een glaasje wijn in, ze drinken op het succes van het restaurant. De boerenkool smaakt hen als een driesterrenmaaltijd. Al kletsend laat Annelies vallen dat ze een housewarmingfeestje geeft. Annie en Flip knikken Annelies bemoedigend toe. Hoog tijd dat ze zich wat meer onder leeftijdgenoten begeeft. 'Waarom nodig je Victor ook niet uit, meisje? Kan hij Arjan en Susan, de boerderijmensen, op een leuke manier leren kennen!'
Annelies stemt toe, bedenkt dat ze het vervelend vindt dat anderen haar feestje in gang hebben gezet en zelfs, zoals nu, bepalen wie er genodigd wordt. Victor van Vaals dus. De man van restaurant Valentijn. Het zij zo.
Annie heeft voor een lekker toetje gezorgd met veel vruchten.
'Willen jullie soms even mee om een kijkje te nemen?' vraagt Victor als het eten achter de kiezen is. 'Ik kan dan vertellen hoe het gaat worden.'
'Dat willen we wel, hè Annie? Annelies, jij gaat toch ook mee?' Flip wil al opstaan, maar ziet dan dat Victor zijn handen vouwt. 'Ga je gang!' zegt hij en hij wendt zijn blik van de gast af.
Annelies denkt: hij ook al. Bidden voor of na het eten. Een gewoonte voor veel mensen, maar of het hen iets zegt? Danken, waarvoor dan?
'We laten de boel even staan, dat komt straks wel. Even een jas aanschieten, Victor. Zelfs voor een bezoek aan het buurhuis is het te koud zonder!'
Flip brengt de mantel van Annie gelijk mee en even later staan ze op de stoep voor het gerestaureerde pand dat, zo blijkt even later, niet onderdoet voor dat van hen. Victor van Vaals is onvoorstelbaar enthousiast. Het werkt aanstekelijk. Hij draaft nog net niet door de kale, holklinkende ruimte; wijst waar wat komt. De keuken is het enige vertrek dat laat zien wat de bedoeling is. In het midden staan

grote kookeilanden, aan één wand koelkasten die in de ogen van een leek al monsterlijk groot zijn. 'Voilà!' roept hij als hij de deur van de koelcel opent. 'En werken doet-ie ook al!'
Annelies blijft peinzen over de connectie tussen Arjan Slot en de restauranthouder. Zeker weten dat die elkaar zullen vinden. Ze hoort haar moeder vragen stellen over de menu's en de kaarten. 'Wanneer denk je te openen? Jammer dat dit niet met Valentijnsdag kan. Dan had je de naam van je restaurant nog een extra invulling gegeven.'
Victor gaat erop in. Hij is van plan in de toekomst een speciaal menu voor Valentijnsdag samen te stellen. Hij laat staaltjes zien waar het meubilair mee bekleed gaat worden. 'Donkerrood, de tafelkleedjes dezelfde kleur met een klein werkje erin. Jullie krijgen als buren natuurlijk een uitnodiging voor de opening!'
Annelies zegt spontaan dat híj er een krijgt voor haar housewarming.
'Nog een kledingeis?'
Nu moet Annelies lachen. 'Alles is goed. Ik stel je dan ook meteen voor aan Arjan Slot. Hij zal blij zijn met een eventuele samenwerking.'
'Is het een feestje waarop alle gasten eetwaar meebrengen? In dat geval kan ik je fornuis inwijden en voor een heerlijke snack zorgen. Zo'n hap die goed valt aan het eind van het feest.'
'Hoeft niet, maar het mag natuurlijk wel,' zegt ze lachend.
Als Annelies later naar huis loopt, begint er iets te kriebelen wat betreft het opgedrongen feestje. Het voelt alsof ze er zin in krijgt!

De dag dat Lucie Huizinga zich eigenlijk voor de tweede keer zal melden, maakt ze een val met haar fiets. 'Ik ben op de fiets, mijn vader had de auto nodig en ik ben uitgegleden op het fietspad. Eigenlijk wilde ik omkeren, maar dan zou mama zo verdrietig zijn geworden...'
Het kind is aandoenlijk bezorgd om haar moeder en ook al klinkt dit nog zo lief en positief, het zit Annelies niet lekker. Een puber is door-

gaans met zichzelf bezig. 'We zullen je eerst schoonpoetsen. Heb jij je pijn gedaan?'
Lucie haalt haar magere schouders op. 'Niet zo erg. Alleen het stuur van mijn fiets staat scheef en dat fietst lastig. En mijn kleren zitten onder de modder!'
Annelies hangt de jas bij de verwarming te drogen en loopt met Lucie mee naar het toilet. 'Hier kun jij je opfrissen. Zelfs je gezicht zit onder de modder!'
Als het meisje wel erg lang wegblijft, neemt Annelies een kijkje. Ze vindt Lucie als een standbeeld, doodstil voor de spiegel staand. De tijd lijkt vergeten. 'Schoon?' doet Annelies luchtig en als ze het licht uitknipt, is Lucie heel even de kluts kwijt. Annelies glimlacht en zegt: 'Toen we hier pas woonden, verdwaalde ik zelfs een keer. Al die deuren lijken op elkaar, vind je niet? Hier moeten we zijn!'
Eenmaal in de spreekkamer vraagt Annelies naar het huiswerk.
'Huiswerk? Wat voor huiswerk ook weer?'
'Zeg niet dat je het vergeten bent!' doet ze dreigend.
'Nee, het zit in mijn jas. Als het er maar niet is uitgevallen...' Uit een van de ruime zakken komt een ietwat verkreukeld schrift. 'Je gaat toch geen cijfers geven of zo?'
'Welja,' plaagt Annelies, 'met rode inkt gecorrigeerd, een krul als het goed is en fouten worden dik onderstreept.' Het lijkt even of het meisje dit gelooft. Dan komt er een aarzelend lachje. Ze doet er zelfs een schepje bovenop. 'En natuurlijk een beloningsplaatje of een stempel.'
'Hoe is het op school gegaan de afgelopen week?
Die vraag wordt met een huilbui beantwoord. 'Ik werd gepest door meiden uit een hogere klas. Iemand is erachter gekomen dat ik hiernaartoe moet.'
'Dat is vervelend,' zegt Annelies.
Dan lezen ze samen dat wat in het schrift is geschreven. Keurige letters, ze lijken wel getekend. Eveline zou tevreden zijn. Goed leesbaar.

Af en toe gevlekt, waarschijnlijk door tranen.
Zwart op wit valt te lezen hoe het meisje zichzelf ziet. Op één bladzijde staat met grote letters: *Er is zelfs een naam voor! BDD! Op internet nagelezen. Er is géén hoop voor mij!*
Lucie zegt zachtjes dat haar moeder zich dat liet ontvallen, dat Annelies aan BDD dacht. Annelies geeft geen krimp, maar in gedachten geeft ze Eke een draai om haar oren. Ze zegt: 'Ai, dat internet. Soms een zegen, een andere keer een ellende. Want lieverd, begrijp je wel alles wat daar gezegd wordt? Geen twee gevallen zijn hetzelfde, ze vragen allemaal om een eigen aanpak. Als je een heel jong kind was, zou ik je om de tuin kunnen leiden. Spelletjes doen, met een poppenhuis spelen... dan zou ik er op een speelse manier achter kunnen komen wat er met jou aan de hand is. Maar de werkelijkheid is dat ik tegenover een heel intelligente meid zit, die haar zelfbeeld en de realiteit door elkaar heeft gehaald. En dat gaan wij samen uitpluizen. Op een gegeven moment stuiten we op de kern. Zo gauw we die te pakken hebben, Lucie, begint het echte werk. Het is belangrijk dat je eerlijk tegen me bent. Schaam je nergens voor, ik ben er om je te helpen!'
Dan komt er stotterend uit dat ze niet meer naar school wil. Het valt haar zo zwaar, ze ziet er iedere dag tegen op.
Annelies begrijpt het maar al te goed. 'Misschien zou een oplossing wat dat betreft geforceerd kunnen worden. Je ziek verklaren... Maar wat is het gevolg? Je komt met de stof hopeloos achter. Je verliest het contact met leeftijdgenoten en als je na de zomer weer de oude Lucie bent, is het of je bent blijven zitten en kom je tussen jongere kinderen terecht. Heb je dat allemaal overdacht?'
'Niet echt.'
'Nu maken we een keuze. Wil je wel naar school, de strijd aanbinden? Ja, dan moeten we dat ook doorzetten. Ik wil nog met je decaan gaan praten.'
'Hebben mijn ouders ook al gedaan. Maar wat kan die nou doen? Ze

volgen mij met hun ogen, de leraren, want nu weten ze het natuurlijk allemaal. Kon ik maar onzichtbaar zijn.'

Annelies realiseert zich dat ze uit het geschrevene nog niet veel wijzer is geworden. Toch krijgt Lucie de opdracht daarmee door te gaan. 'Je schrijft leuk, Lucie. Goeie zinnen ook. Hé, ik krijg opeens een idee!' Ze stelt Lucie voor dat ze een persoon mag bedenken, die ongeveer de klachten van Lucie heeft. 'En dat meisje, geef haar maar een mooie naam, krijgt een vriendinnetje dat niet alleen alles begrijpt, maar wel heel behulpzaam is. Met goede adviezen komt. Samen negeren ze de pestkoppen, tot voor hen de lol eraf is.' Ze last een pauze in. 'Dat vriendinnetje ben jij.' En, denkt Annelies, uiteindelijk moeten die twee meisjes tot één persoon samensmelten. Zodat Lucie Lucie kan helpen. Of het werkt? Het is te proberen...

'Hier is nog iets wat we gaan doen. Je zult wel een wekker nodig hebben, Lucie. Die heb je toch wel? Luister: het zal bij jullie thuis wel vechten zijn om als eerste de badkamer in te komen. Of heb ik het mis?'

Lucie lacht. 'Soms wel. Papa en mama zijn het eerst klaar. Eigenlijk moeten wij om de beurt, ik het eerst en dan de jongens en Lonnie. Louk het laatst, vanzelf. Op de rij af. Maar ik kan niet opschieten. Ik blijf in de spiegel kijken... die puistjes en dat soort dingen. Soms doet mijn haar zo raar. En dan trommelen ze op de deur, papa boos, mama verdrietig...'

Annelies heft een vinger op en zwaait ermee heen en weer. 'Dat is nu afgelopen, want jij gaat je wekker zetten. Eens zien, je moet aan tien minuten genoeg hebben. Tandenpoetsen, dat gaat snel. Douchen? Hup, eronder en je bent zo klaar, want vuil ben je niet. Afdrogen... acht minuten verder? Heb je nog twee minuten om je haar te kammen. Moet lukken. Ondergoed aan, de rest trek je in je kamer aan en klaar ben je. Lijkt het je wat? Een wedstrijd met jezelf?'

Lucie lacht maar wat, ze wil het proberen.

'En vergeet niet verslag te doen! Ik geef je een nieuw schrift voor je

nieuwe vriendin. Ik ben zo benieuwd, Lucie, wat je daarvan gaat maken.'
Schoorvoetend bekent het kind dat ze vroeger een fantasievriendinnetje heeft gehad. 'Dat vertelde ik aan niemand.'
'Goed zo! Dan gaan we daarmee verder. Op de linkerbladzijde vertel je haar wat er is gebeurd, wat je niet leuk vond, dat soort dingen, en zij antwoordt je op de rechterpagina. Je kunt er zelfs een correspondentievriendin van maken!'
Lucies jas is hier en daar opgedroogd, Annelies borstelt met de hand een paar plekken schoon. 'Hij ziet er weer toonbaar uit.'
Lucie haast zich te vertellen dat ze niet vies is van modder, vuil dat je kunt voelen en zien. 'Het zijn die andere dingen. Ik ben bang dat iemand weet wat ik denk. En dan gaat denken: ze heeft gelijk. Lucie is ook stom en lelijk.'
Annelies schudt haar hoofd. 'Als je nu zei: Lucie is zo vies als een varkentje dat in de modder heeft gerold, vuile laarzen heeft gekregen... Ik denk dat je kleine broertje er zo uitziet na een middagje in de zandbak!'
Als van een boerinnetje dat kiespijn heeft, zo noemt Annelies het dunne lachje. 'Tot volgende week, Lucie Huizinga!'
Lucie is nog niet de deur uit of haar moeder belt om informatie. Heeft Annelies nog hoop?
'Ik wel, Eke! En jij ook, mag ik hopen. Want het kind heeft positieve mensen om zich heen nodig. En o ja, probeer haar naar school te krijgen. Ik zal ook nog eens met de decaan gaan praten.'

Pas de dag voor het geplande feestje komt Annelies ertoe om de rest van de boodschappen die ze nodig heeft, in huis te halen.
Onverwacht duikt Eveline op. Ze heeft met moeite een doos naar boven gesjouwd. 'De vlaggetjes, Annelies! Ik heb mijn handen vol, doe je open?' Een rood aangelopen koppie met verward haar steekt boven een kartonnen verhuisdoos uit.

'Geweldig, vlaggetjes. Nou, daar ben ik blij mee!'
'Je hebt toch wel een huishoudtrap? Niet? Wat raar. Nou, dan haal ik er een uit het magazijn.'
Het is Thijmen die de trap komt brengen. 'Nog meer orders, mevrouw de huurder?'
Annelies schudt haar hoofd. 'Bedankt, huisbaas. Tjonge, je hebt het maar druk met me.'
Eveline krijgt nog een waarschuwing voorzichtig te zijn. Als de deur achter hem dicht is, zegt Eveline op zachte toon dat haar vader 'vroeger', toen ze klein was, doodsbang was dat haar wat zou overkomen. 'Dat kwam omdat ik zo ziek ben geweest. Maar toen ik allang weer van alles kon, ponyrijden en dat soort dingen, bleef hij doen of ik vier jaar was. Gelukkig kwam toen Sigrid... die gaf papa heel lief op de kop als hij zo overbezorgd deed. En nu is hij bijna een gewone vader. Als hij tegen de baby ook overdreven gaat doen, nou, dan zeg ik er wat van!'
Annelies lacht en zegt: 'Hier worden dus ouders opgevoed. Kan ik nog wat van leren!'

# 7

Tegen de tijd dat de kamer in feesttooi is, de koffiekoppen klaarstaan en de cake in plakken is verdeeld, is Annelies eindelijk in de juiste stemming. Haar ouders, in gezelschap van Victor, zijn de eerste gasten die zich melden.
Victor loopt bewonderend door het appartement, Annie voegt zich bij haar dochter die in de keukenhoek nog bezigheden vindt.
'Het was echt even wennen, Annelies, jij voorgoed het huis uit. Maar ik moet zeggen dat je hier geweldig woont. En het is ook de meest natuurlijke gang van zaken, toch? Ik moet bekennen dat ik blij ben dat je op loopafstand woont. Je vader trouwens ook. Nog een vraagje. Als je niet wilt, geef je gewoon geen antwoord. Hoe doet het meisje Huizinga het?'
Annelies veegt haar handen af aan een theedoek waarmee ze zojuist glazen heeft opgepoetst. 'Ze schijnt het heel moeilijk gehad te hebben met de ziekte van haar moeder. Te veel verantwoording voor haar. Misschien is ze daardoor op een paar punten doorgeschoten, vroeger volwassen geworden. Maar toch, het is nog zo'n kind. Op school wordt ze gepest. Iemand is erachter gekomen dat ze onder behandeling is. Natuurlijk is dat iets bijzonders. Annie, misschien heb ik toch je advies binnenkort nodig. Ik kan wel goed met haar overweg. Dat is al heel wat. En voor die ouders is het ook wat. Al geloof ik niet dat de vader zich intens met het gezin bemoeit. Ik kom van de week wel even langs, dan kijk ik gewoon na mijn eigen afspraken of je vrij bent.'
Annie knikt. 'Ik ben blij dat je me vraagt. Echt, ik wil me niet opdringen. Je kent mijn standpunt. O, de bel! Zal ik even opendoen?'
Flip en Victor zijn ondertussen gaan zitten, terwijl Annie Ada Berkhout begroet. Achter haar duikt Lars Schutte op. Hij torst een grote mand, die gevuld is met voorjaarsbloemen. 'Wat een plaatje!' roept Annie. Ada Berkhout vertelt dat het een cadeau van hen samen is.

Annelies begroet hen hartelijk. Ze vindt dat Ada Berkhout leuk met de jonge mensen omgaat. Annie wijst waar ze hun jassen kunnen ophangen en eenmaal in de kamer, stelt ze hen aan Victor voor.
Lars Schutte duikt meteen op de piano af. 'Die moet gestemd worden, Annelies!'
'Weet ik,' roept ze van uit de keuken.
Lars slaat een paar akkoorden aan en trekt een vies gezicht. Alsof hij iets zuurs moet doorslikken. 'Ik kom van de week wel een keer om hem te stemmen,' zegt hij.
Annelies kan zo snel geen smoesje bedenken om dit te verhinderen. Ze brengt koffie met cake rond, terwijl haar moeder de gasten ontvangt. Al snel zijn alle stoelen bezet. Eveline is de enige gast die schijnbaar geen behoefte heeft aan een stoel. Ze huppelt van de keuken naar de kamer, verricht hand- en spandiensten.
Ineke en Ron zijn de laatsten die arriveren. 'We zijn nog even naar de verbouwing geweest. Donker? Welnee, ze hebben van die grote bouwlampen. Ron zou het liefst zelf de handen uit de mouwen steken!' Ineke schatert, knuffelt Ron en zoekt een plaatsje in de buurt van Susan. 'Wie past er op Derk-Jan?'
Annelies krijgt het warm, alsof er vanbinnen een kacheltje wordt opgestookt. Ron, Ineke die telkens zijn naam noemt, hem even aanraakt. Alsof ze wil laten zien: wij horen bij elkaar.
Ondanks de staat waarin de piano verkeert, gaat Lars er toch achter zitten. Het bloed kruipt waar het niet gaan kan, beweert zijn broer Ron.
Zodra de eerste tonen opklinken, laat Eveline haar bezigheden voor wat ze zijn en haast zich naar de pianist toe. 'Geef jij ook pianoles?' vist ze, terwijl ze vertrouwelijk tegen Lars aan leunt.
'Alleen aan een paar héél muzikale mensen!' plaagt Lars.
'Hoe weet je of iemand héél muzikaal is?' vraagt ze, opeens onzeker.
Lars kijkt opzij, ziet de hunkering in het kindergezichtje. 'Wil je soms pianoles?' vraagt hij. 'Jij hebt toch een pony? Daar ben je vast

dagelijks druk mee.'
Ineke roept dat Eveline ook een keer in de week tekenles krijgt. 'Dat kind heeft een overvolle agenda, Lars!'
Annelies vergelijkt de broers: Ron en Lars. Ron is langer van postuur, dat is het eerste wat aan hem opvalt. Waar hij een serieuze uitstraling heeft, is Lars een en al plezier. Ron is gesoigneerd, Lars de artiest. Met Lars, veronderstelt ze, is het vast vaak lachen. Ron is minder uitgelaten, laat zelden zien wat er in hem omgaat.
Als haar naam wordt genoemd, ploft ze gelijk terug in het hier en nu. Victor vraagt haar aandacht. 'Ik heb een verrassing voor je, Annelies! Het staat nog beneden in het magazijn en het moet een dik kwartier in de oven. Mag ik even zien wat voor oven je hebt?'
Hij bewondert de nieuwe keuken, de oven is goedgekeurd. 'Vraagje: die man achter de piano, Lars meen ik... die is erg goed op de toetsen. Zou ik hem kunnen vragen in mijn restaurant voor achtergrondmuziek te zorgen?'
Annelies werpt een blik richting piano. Eveline heeft de keukenkruk versleept en zit nu stijf naast Lars. Met één vinger slaat ze een toets aan, en als Lars 'ja' zegt, verhuist de vinger naar een andere toets.
'Ik denk niet dat Lars tijd heeft. Hij had vroeger een bandje, is daarmee gestopt en maakt nu semireligieuze muziek. Samen met Dennis Versa. Als je van popmuziek houdt, moet je die naam kennen.'
Dat doet Victor. 'Die knaap hoor ik nog geen psalmen zingen!'
Toch wel, legt Annelies uit. 'Ze noemen het een gat in de markt. Oude liederen, voornamelijk christelijke, arrangeren ze opnieuw. Ze zingen in kerken, op bijeenkomsten, hebben al een cd gemaakt. En Sigrid, de vrouw rechts op de bank, is hun zangeres. Dus ik denk dat hij geen tijd heeft om bij jou te spelen.'
Evelines lach overstemt het gepraat.
'Jammer.' Victor kuiert weer weg van het aanrecht. Deze keer is Arjan, de bioboer, zijn doel. 'Kerel, wij moeten eens praten. Ik denk dat wij tot zaken kunnen komen!'

Pas als de avond op z'n eind loopt, bijna al het eetbaars is verslonden en de flessen zo goed als leeg zijn, dient Dennis Versa zich aan. 'Een echte beroemdheid in ons midden!' mompelt Victor. Hij is het die na een kwartiertje roept weleens iets van het ensemble te willen horen.
'Waarom niet?' reageert Lars, die altijd in is voor een verzoek.
Eveline klapt in haar handen. 'Dan zing ik mee. Ik ken toch bijna alle liederen, omdat Sigrid ze thuis oefent!'
Dennis en Lars overleggen zonder er veel woorden aan vuil te maken. Ze zijn het snel eens. 'Mensen, zoals jullie weten hebben sommige van onze avonden een evangeliserend karakter. Het hangt ervan af waar we genodigd worden. U krijgt een toepasselijke tekst te horen, en niet schrikken: het arrangement is anno nu. Modern, maar niet minder gemeend dan zestig jaar of langer terug.'
Annelies kent lied noch tekst. 'De dag door Uwe gunst ontvangen is weer voorbij, de nacht genaakt. En dankbaar klinken onze zangen tot Hem, die licht en duister maakt.' Ze ergert zich aan de ouderwetse woorden. Genaken, wie kent dat woord nu nog? Duister...
Flip luistert belangstellend en tot haar verbazing zingen de andere gasten mee, zelfs haar moeder. Lars speelt er lustig op los, last riedeltjes in en stampt af en toe met een voet de maat mee.
Dan vangt Annelies de blik van Sigrid, die haar warm toeknikt en wat probeert over te brengen. Annelies schudt haar hoofd. De nacht genáákt! Dat woord kent ze nauwelijks. Niet te geloven dat veel mensen dit soort muziek mooi vinden, en moet je Dennis Versa vol overtuiging zien zingen! De popzanger.
Ze sluipt weg van het gezelschap, zet de oven aan. Victor komt zingend achter haar aan.
'Goeie stem heb jij,' zegt ze. 'Niks voor jou, Victor, zo'n zondagschoolclubje?'
Victor grinnikt. 'Ik blijf me over mijn nieuwe woonplaats verbazen. Topmuzikanten, een biologische boer in de nabijheid... wat een goeie stap heb ik gezet. Even zien of de oven warm genoeg staat. Je boft,

Annelies, geen naaste buren, zo overdag.'
Ze knikt. 'Ik heb van Susan gehoord dat haar broer, Lars, ooit overspannen werd vanwege de burenklachten. Vind maar eens een goed geïsoleerde plek waar je je gang kunt gaan. Nu heeft hij zijn draai gevonden. Een alleenstaande oude schooljuf, ze zit op de stoel naast de bank, heeft hem haar vervallen schuur aangeboden en daar heeft hij een studio met alles erop en eraan van gemaakt.'
Victor schuift zijn lekkernij, die op een grote pizza lijkt, voorzichtig in de voorverwarmde oven. 'Zo helpen mensen elkaar. Zulke dingen zouden veel vaker voor moeten komen. Als we elkaar weer ontmoeten, moet je me eens uitgebreid over jouw werk vertellen. Lijkt me zo boeiend: kinderen helpen die vastgelopen zijn.'
'Dat is het ook. Maar soms is het onbevredigend, want lang niet alle kinderen laten zich helpen. Tegenwoordig lig ik daar wakker van, terwijl ik daar in het begin geen last van had.'
Victor knikt begrijpend. 'Dat komt, Annelies, omdat je ouder wordt. Je kijkt anders tegen de dingen in het leven aan. Daarom is het goed vrienden te hebben met wie je van gedachten kunt wisselen. Wel, ik geloof dat ik vanavond een paar goede contacten heb gelegd. Zeker met de bioboer. Aardige knul, die Arjan Schutte. En zijn broer en zus ook! Ik heb ze allemaal uitgenodigd voor mijn open dag.'
Ze blijven kletsen tot de oven piept, terwijl er in de kamer nog vrolijk wordt gezongen. Het ene lied na het andere, soms neuriet Victor mee. Annelies voelt zich een buitenstaander. Opeens is daar Sigrid. Ze legt een arm om de schouders van Annelies. 'Ben je nu nog niet geïnspireerd door de muziek? Binnenkort kun je Lars verwachten! Ik wil je graag helpen met het instuderen, hoor, als je ervoor gaat.'
Annelies schudt wild met haar hoofd. 'Vergeet het! Ik ken die teksten niet, ze zeggen mij niets.'
Lars speelt een slotakkoord, er wordt geklapt en even lijkt het of sommigen willen opbreken. Victor grijpt in. 'Mensen, hapje van de Valentijn! Voorproefje, zal ik maar zeggen.'

Annelies doet een stap achteruit, hier is geen hulp nodig. Victors handen verdelen het baksel razendsnel in kleine stukken die hij op de klaarstaande kartonnen bordjes schuift. 'Vorkjes... heb je die nog? Ook van plastic. Dat eet niet lekker, maar gemak dient de mens!'
Thijmen gaat nog eens met flessen wijn, bier en frisdrank rond. De complimentjes zijn niet van de lucht. Het is duidelijk dat Victor in het groepje is opgenomen.
'Wat leuk, van onze nieuwe buurman.' Annie komt bij haar dochter staan.
'Mam! Dat jij die liederen zo kon meezingen!' Annelies kan niet nalaten om daar een opmerking over te maken.
Annie glimlacht. 'Ze komen vanzelf bovendrijven. Als kind heb ik op een christelijke school gezeten, daar woonden we het dichtst bij. Vandaar. En mijn moeder kwam zelf uit een gezin waar de Bijbel werd gelezen. Dat moet jij je toch ook herinneren!'
'Ja, dat is waar ook.'
Behulpzame handen brengen serviesgoed naar de keuken. De prullenbak is in een mum van tijd vol, net als de vaatwasser. Sigrid is de eerste die vertrekt. Ze ziet er moe uit, net als Eveline. Zij heeft rode blosjes van de slaap. Annelies krijgt een knuffel van haar. En Thijmen legt een hand op haar schouder als hij zegt: 'Als je wilt, haal ik de vlaggetjes morgen wel weer voor je weg.'
Annelies kijkt jaloers toe als ze ziet hoe leuk Susan en Ineke met elkaar omgaan, als dikke vriendinnen. En ook nog eens schoonzusjes. Ron is zo vriendelijk een overvolle vuilniszak vast naar beneden te brengen.
En dan, opeens, is de kamer ontvolkt. Annelies kijkt verdwaasd om zich heen.
Annie en Flip staan nog in de gang, praten vrolijk met hun nieuwe buurman.
'Dag Annelies! Het was keileuk!' Ze krijgt een dikke knuffel van Victor. 'Voor herhaling vatbaar!'

Annie is de laatste die vertrekt. 'Slaap jij morgen maar lekker uit, meisje! Het was een leuke avond. We bellen nog, dag!'
Annelies sluit de deur achter hen en loopt terug naar de keuken. Morgen is er weer een dag om te poetsen. Nu is het welletjes geweest. Ze zet de vaatwasser aan en loopt terug naar het zitgedeelte. Daar, iemand heeft zijn jas laten liggen. Een bekende jas. Het leren jack van Ron.
Ze raapt zijn sjaal van de grond en stopt haar gezicht erin. Hij ruikt naar Ron, de geur van zijn aftershave is in de stof getrokken.
Ze zakt met jas en sjaal op een stoel en opeens zijn daar tranen. Ze omklemt het jack alsof het een mens is, droogt haar ogen met de sjaal. Ron, Ron van Ineke. Daarnet zong hij uit volle borst mee, met zijn diepe basstem. Hoe moet ze dat in de toekomst uithouden?
Ze merkt niet dat de huisdeur wordt geopend, ze ziet de man niet die verstard op de drempel staat.
Als een hoopje ellende zit ze daar, en even laat ze zich gaan. Ooit, ooit vindt ze wel een manier om om te gaan met liefdesverdriet. Misschien slijt het... misschien ook niet.
Ze kreunt, hoort zichzelf snikken. 'Ron, o Ron toch...'
Dan zijn er voetstappen, ze schrikt op. Het is een moment waarop ze zou willen dat de grond zich voor haar opende en haar verzwolg. Nou ja, verder dan de toonbank van de boekwinkel zou ze niet komen. Angstig kijkt ze over het in elkaar gepropte kledingstuk naar Ron, die buiten gemerkt heeft dat hij zijn jas vergat aan te trekken. Net voor haar ouders de buitendeur achter zich dichttrokken, was hij terug. Maar wat hij nu toch gewaarwordt, dat doet hem de adem inhouden. Annelies, zo kent hij haar niet. 'Meisje, wat is er aan de hand?' Hij hurkt bij haar neer.
'Ik... ik weet het niet. Nou ja, ik weet het wel. Maar het was niet de bedoeling dat jij erachter zou komen. Het zou ontdekken. Misschien gaat het over... ik weet dat jij en Ineke... Jullie zijn gek op elkaar en er is geen kans voor mij, ik weet het!'

Ron peutert de das en het jack uit haar ijskoude vingers. Weet zich even geen raad met de situatie. Wat zegt Annelies toch allemaal? Wát heeft hij ontdekt, wát mocht hij niet weten? Het zal toch niet waar zijn... Annelies, zijn collega, die warme gevoelens voor hem koestert? Hij weet meteen dat dit niet alleen onmogelijk is, maar ook voor een blokkade in hun samenwerking zou zorgen. Wat een afschuwelijk slot van een aardige avond onder vrienden. Hij gaat langzaam staan, drukt de kledingstukken tegen zijn borst, steekt dan een hand naar haar uit, die hij ook weer terugtrekt. Beelden flitsen langs zijn geestesoog. Nu ziet hij het opeens, de schellen vallen hem van de ogen. Annelies is langer dan vandaag verliefd op hem.
'Kom, Annelies, probeer te kalmeren.' Hij schiet zijn jas aan, stopt de sjaal in een zak en haalt dan in de keuken een glas water. 'Dat doen we bij onze huilende patiënten ook.'
Klokkend en zich verslikkend leegt Annelies het glas. Dan kijkt ze hem aan. Dikke oogleden en een intens verdrietig gezicht, de wangen nog nat en het haar als de gebruikelijke ragebol.
Ze gaat staan, wankelt op haar voeten en als Ron haar niet opgevangen had, zou ze gevallen zijn. Heel even permitteert ze zich de weelde tegen hem aan te leunen. Haar hoofd tegen zijn borst. Dan 'ziet' ze Ineke, de blonde schooljuffrouw. Met een ruk maakt ze zich los van Ron. Komt ze tot bezinning, want: dit kan niet en dit mag niet. Was Ron zijn jas maar niet vergeten.
Beschaamd buigt ze haar hoofd en wendt ze zich van hem af. 'Vergeet het alsjeblieft, het was een moment van zwakte. Alle vrouwen... meiden zoals ik, zijn weleens jaloers op een vriendin die... die álles krijgt wat ze begeert. Vergeet het alsjeblieft. Ik zal wel een glas wijn te veel op hebben, daar ben ik niet aan gewend. Vergeet het, goed?'
Ze kijken elkaar aan. Ron laat medelijden zien, heel even kan Annelies hem daarom wel slaan. Ze wil geen medelijden. Kom op! Ze is een hoogopgeleide, jonge vrouw met een toekomst. Tot op dit moment heeft ze haar eigen boontjes weten te doppen! Een man? Ze

heeft zich toch altijd prima zonder kunnen redden?
Dit, wat ze voor Ron voelt, zal wel slijten. Hoeveel verzoeken om iets wat méér dan vriendschap zou moeten zijn, heeft ze niet afgeslagen? Ze heeft nu nog maar één wens. Ze doet een stap achteruit. Buiten claxonneert iemand, zittend in een auto. Alsof hij roept: 'Ron, waar blijf je!'
'Doe me een plezier, Ron, en vertel dit aan niemand. Het was een moment van zwakte, morgen heb ik er spijt van! Ga alsjeblieft weg...'
Dat doet hij, na een kneepje in haar schouder. De voordeur valt geruisloos in het slot. Voetstappen op de trap. Voetstappen, die ze inmiddels heeft leren onderscheiden van andere. Buiten trekt een auto op. Ineke en Ron. Samen de nacht in. Op dit moment zou ze alles willen geven om met Ineke te kunnen ruilen.
Ze doolt met een kussen tegen haar borst door de kamer. Wat een anticlimax. Ze schopt de pianokruk terug op de plaats. De vertrokken gasten moesten haar nu eens kunnen zien! Therapeute Annelies Bussink. Een voorbeeld voor velen. Ze mikt het kussentje terug op zijn plaats op de bank, balt haar vuisten en slaat er een keer mee tegen een denkbeeldige boksbal. Ze laat zich niet klein krijgen. Nu niet en nooit niet.
Verwoed begint ze met het ordenen van alles wat van de plaats is gekomen. Stoelen, een stuk cadeaupapier, vergeten kopjes. Ze raast in het rond, plenst water in de afwasbak. Een scheut groene zeep erbij. Ruikt toch zo lekker, zo schoon? Het lijkt een beetje op de geur van Rons leren jack. Poetsen. Aanrechtblad, de deuren van de vaatwasser en de koelkast. In de oven vindt ze nog kruimels, weg ermee. Dan de vloer. Op haar knieën ondergaat ook deze een straffe behandeling.
Dan is ze klaar. Het huis is tiptop. Helemaal aan kant.
Ze knipt de lampen uit. Slapen of niet, ze kan niet anders dan naar bed gaan. Eerst een douche, het liefst ijskoud, in een poging zichzelf te hervinden.
Het helpt niet.

Even later ligt ze te huiveren in bed. Zou Ron wel slapen? Als hun huis klaar is, kan hij lekker tegen Ineke aan kruipen in hun tweepersoonsbed. Zeker weten dat ze daar nu nog niet aan toekomen. Uiteindelijk wint de vermoeidheid het van al het andere. Ze is een paar uur van de wereld, zoals dat heet, maar het is bij lange na geen welverdiende slaap na een vrolijk avondje.

# 8

Na de korte nacht sukkelt Annelies door haar opgeruimde appartement. Hoe is het mogelijk: het ene moment ben je zo goed als gelukkig en een halve dag later weet je niet waar je het zoeken moet.
In stilte verliefd zijn is al een ongemakkelijke situatie. Maar om je bloot te geven, je kaarten op tafel te leggen, dat is voor Annelies niets minder dan een ramp. Hoe moet ze Ron onder ogen komen? Zouden ze het gebeurde kunnen vergeten? Op de een of andere manier verdergaan?
Met haar duster aan en op blote voeten staat ze voor het erkerraam. Het uitzicht is troosteloos. Het water in de gracht wint het van het ijs. Er drijft achtergelaten rommel tussen de schotsen. Lege chipszakjes, snoeppapier en een paar blikjes. Op straat is het niet druk. Een paar mensen haasten zich zo te zien naar een kerk. Want, zo vraagt Annelies zich af, wat zouden ze anders zo vroeg buiten in dat druilerige weer doen? Verkeer is er ook amper. Een lijnbus rijdt met flinke snelheid door de anders drukke straat.
Ze heeft het gevoel te zullen stikken. Ze moet naar buiten, de frisse lucht in. Nadenken, dat kan ze binnen helemaal niet. Ze frist zich op en schiet in een spijkerbroek, hup, trui erover en een jack aan. Laarzen aan de voeten. Uit de garderobekast haalt ze een jack met capuchon. Gemakkelijk als het gaat regenen.
Op de parkeerplaats blijft ze een moment staan. Welke kant zal ze op gaan? Niet de stad door, niet richting Marktstraat.
Wat maakt het ook uit... Ze zet zich als een automaatje in beweging. De parkeerplaats af, hoek om, winkelstraat in. Langs de kledingzaak, die nog steeds opruiming heeft. De apotheek, de speelgoedwinkel. Langs een kapper waar ze nooit is geweest en een viswinkel, daar is ze ook al geen klant. Mensen bij de bushalte, tieners met sporttassen achter op hun fiets. Weer een bruggetje over. Langs een nieuwbouwwijk, waar in korte tijd rijen huizen uit de grond zijn gestampt, zo

lijkt het. Ertegenover de weilanden, kilometers lang, en aan de horizon tekent de kerktoren van het dorp zich af. Ja, daar zitten haar vrienden nu, in die kerk. Susan en Arjan, Ineke en Ron. En de anderen, zoals juffrouw Berkhout.

Ze dwingt haar ogen weg te kijken, richting woningen. Rijtje zelfde bouw, maar zo heel anders – althans vanbuiten, zo te zien – aangekleed.

Dan ontdekt Annelies een wandelpad dat dwars door de weilanden voert. In de verte ziet ze een paar joggende mensen en een man die een hond uitlaat.

Rechts en links van het pad is water, een uitgedijde sloot en een klein meertje waarin eenden en waterhoentjes zitten. De dieren zijn zo licht van gewicht dat het smeltende ijs hen nog kan dragen.

Ze kijkt om zich heen, blijft even staan als ze een groepje zwanen ziet overvliegen. Ze minderen vlak boven haar hoofd vaart en landen in het meertje. Zo te zien een familie; vader, moeder en een stel bijna volwassen jongen die grauw van kleur zijn.

Heel even vergeet Annelies haar sores. Wat is de natuur prachtig, zelfs in de winter, als de lucht somber is. Haar positieve gevoel verdwijnt weer als ze denkt aan wat Susan een keer zei: 'Wat heeft God alles toch volmaakt geschapen en wat maken wij, mensen, er een bende van!' Een geschapen wereld... Annelies kan het niet bevatten. Ze heeft op school een andere visie over het ontstaan van de aarde geleerd. Ze schudt haar hoofd en vervolgt haar weg. De oerknal. Een vertrouwd gegeven, toch?

Een paar joggers zijn achter elkaar gaan lopen en passeren haar, een vriendelijke groet verrast Annelies. Een man met hond komt dichterbij en als het dier haar even later begroet, kan ze niet anders dan blijven staan. Enthousiast springt de hond tegen haar op, hij wil haar trakteren op een lik.

'Af! Foei!' corrigeert de baas.

Annelies moet erom lachen. Ze krabbelt het dier op de kop. 'Geeft

niet, mijn jas kan ertegen!' Ze knikt, en beiden lopen weer door. Vervolgen hun weg. Een hond, misschien doet ze er goed aan een hond te nemen. Of twee poesjes. Gezelschap.
De wind is opeens onverwacht koud en er springen spontaan tranen in haar ogen, die ze met een woest gebaar wegveegt. Langs de sloot groeit riet, het ziet er verfomfaaid uit. Hier en daar geknakt door de wind. Niet te geloven dat over een maand of wat alles hier weer groen wordt. Onder haar voeten kraakt het, het pad is verhard met schelpen.
Hier en daar ligt nog wat sneeuw, langs de sloten, waar de zon niet goed bij kan. In de verte doemt nog een kerktorentje op. Ze heeft geen idee waar ze uitkomt als ze het pad tot het einde volgt. Peinzend kijkt ze om zich heen. Met haar ogen volgt ze een groep vogels, waarschijnlijk kraaien, die op weg zijn naar een rijtje kale populieren.
Abrupt keert ze op haar schreden terug. Nu blaast de wind haar recht in het gezicht, geen prettige ervaring. Kraag hoger op, flink doorstappen. Voor ze het weet, is ze terug in de bebouwde kom.
Dan aarzelt Annelies: even bij haar ouders een kopje koffie halen? Het is mogelijk dat Annie dwars door haar gemaakte opgewektheid heen kijkt. Daar is ze moeder voor! En o, wat is het verleidelijk om toe te geven, mama alles te vertellen wat haar zo kwelt. Maar kom op, ze is volwassen. Annie heeft in hun leven genoeg tranen van haar dochter gedroogd.
Voor ze het weet, is Annelies in de Marktstraat. Misschien ziet ze Victor wel. Hij is leuk gezelschap. Maar lang geen Ron...

Toch is ze verheugd als ze hem vlak voor zijn huisdeur passeert. Hij blijft verrast staan. 'Ben je op weg naar mij? Dat zou leuk zijn.'
'Niet bepaald, ik had gedacht mijn ouders met een bezoekje te vereren!'
Victor legt in een peinzend gebaar een vinger langs zijn neus, doet of hij diep nadenkt. 'In dat geval zou je eerst mij een plezier kunnen

doen, even meelopen naar mijn huis en raad geven over de kleur verf die ik morgen ga kopen. Volgens mij heb jij een goede smaak.'
Annelies is verrast door het verzoek en gaat maar al te graag met hem mee. 'Mijn ouders verwachten me toch niet, dus. Maar als ik jou was, Victor, zou ik een deskundige vragen advies te geven!'
'Doe ik misschien ook wel, maar toch vraag ik het ook aan jou. Je hebt in jouw appartement ook verrassende kleurencombinaties, vond ik.' Hij opent de imposante voordeur. '*Ladies first*!'
Ze stapt over de drempel en waant zich gelijk in een andere wereld. 'Ik had niet door dat hier nog niet geschilderd was.'
Victor vertelt dat het komt door de laag grondverf die op het hout zit. 'Je moet bedenken dat ik gebonden ben aan het donkerrood van de meubels en kleedjes. Geen overgordijnen, maar wel stukken stof op die plaatsen die het idee geven dat er gordijnen hangen. Ik zal je laten zien welke rolgordijnen ik heb uitgezocht. Het valt niet mee om alles in je uppie te moeten doen. Er is niemand die ik genoeg vertrouw om om raad te vragen. Hm, wat zeg ik nou toch weer? Ja, jouw keuzes vind ik wél van belang.'
Hij geeft haar een brochure met alleen afbeeldingen van rolgordijnen en Annelies bladert hem door. 'Laat me raden welke je hebt uitgezocht...'
Ze lachen smakelijk als Annelies zonder aarzelen aanwijst welke ze vermoedt dat zijn keus op gevallen is. 'Kan niet anders, er zit een heel klein donkerrood friemeltje in... past precies bij de rest. Kom maar op met je verfstalen!'
In de hoek waar de bar is gebouwd, staan een paar krukken. 'Kijk jij maar even. Ik haal koffie voor ons.'
Er liggen niet zomaar een paar verfstalen, nee, het is een heel boekwerk. Hier en daar steekt er een papiertje uit. Annelies knikt. Zo te zien heeft Victor het nodige voorwerk gedaan.
Nog voor er een kopje koffie voor haar staat, heeft ze al een keus gemaakt. 'Bedankt. Deze moet het worden, Victor. Een zo op het oog

onbeduidende kleur. Moet ook niet domineren, vind ik, met mijn lekengedachten over verf. Ik weet niet eens hoe die kleur heet... het is een tint die je crème zou noemen, maar ook weer niet, het is warmer. Kijk, vergelijk het met deze – die had je zelf ook uitgezocht – die doet koud aan.'
Victor is in zijn nopjes met de adviezen. 'Jij kijkt er weer fris tegenaan. Waarom zou ik een zogenaamde deskundige moeten inschakelen? Zonde van het geld. Jij bent geen expert, maar je hebt duidelijk kleurgevoel. Eigenlijk zou ik een groot stuk karton of zoiets met deze kleur erop moeten hebben, om ermee rond te lopen. Zien hoe de lichtval is als de zon schijnt!'
Annelies begint over de verlichting, of hij daar al over uit is. Victor komt aan met nog meer folders en brochures. 'Wat een bof dat ik jou tegen het lijf liep. Zeg, wat wás het gezellig op je housewarming. En geweldig dat ik leuke mensen heb leren kennen. Jouw vrienden zijn in één avond ook die van mij geworden. Morgenavond heb ik een afspraak bij bioboer Slot. Zijn vrouw, Susan, is ook een schatje. En die twee kerels, Lars en Ron, zijn toch haar broers? Ze lijken echt op elkaar. Dezelfde ogen. Echt lui om beter te leren kennen. Maar dat komt wel, als Valentijn eenmaal draait. Weet je dat ik ook al bezig ben personeel aan te nemen? Er komt wel veel op me af. Maar... laten we het nog even over de kleuren hebben.'
Annelies zegt dat ze zijn idee van grotere monsters maken, prima vindt. 'Hier in de buurt zit een schilderszaak, daar willen ze je vast wel helpen. Kleuren mengen tot je geschikte tinten hebt. Er komt wel veel op je af, maar als je het nu niet goed doet, moet je later altijd tegen vergissingen aankijken.'
De rest van de ochtend verloopt heel wat plezieriger dan het begin. Haar humeur is dan ook een stuk verbeterd als ze bij haar ouders naar binnen wipt.
'Jou hadden we niet verwacht, wat gezellig!'
Nee, ze blijft niet lunchen. Wel praten ze een tijdje over het geval

waar Annelies mee bezig is. Ze komt er niet uit bij Lucie. 'Het kind is te jong voor dit soort aandoeningen!'
Daar is Annie het mee eens. Maar, zoals eerder verondersteld, zal het aan de situatie liggen. Ze is te snel van kind in de puberteit terechtgekomen.
Annelies bijt op haar lip. 'De schuldgevoelens ten aanzien van haar moeder zijn ook overdreven. Ze is als de dood Eke ongerust te maken. Over wat dan ook... ik wou dat ik die vader wat beter kende!'
Flip zegt: 'Wat let je, ga op huisbezoek! Ook al is dat niet de gewoonte.'
Terug in haar appartement overvalt Annelies weer hetgeen de avond ervoor is voorgevallen. Als Ron het nu maar wil vergeten. Tegen de tijd dat ze naar bed gaat, is ze zover dat ze ervan overtuigd is dat het gebeurde in haar eigen ogen een ramp was. Maar Ron, hij is nuchterder! Zeker weten dat hij het van tafel zal vegen.

Maar dat is niet het geval. Maandag heeft Annelies twee afspraken op de Marktstraat, daarna loopt ze naar huis, van plan een en ander uit te werken. Als ze naar boven wil lopen, ziet ze het al: er staat iemand op haar te wachten. Ron, niemand anders dan Ron. Gehuld in zijn leren jasje, de sjaal nonchalant om zijn hals.
'Dag Annelies, ik ben op de gok hier gekomen, in de hoop je te treffen. En zie, ik heb geluk. Heb je tijd voor me?'
Annelies wil zeggen: 'Voor jou toch altijd?' Maar ze is te geschokt om wat dan ook uit te brengen. Ze biedt hem wat te drinken aan. Koffie misschien?
'Bedankt. Straks. Eerst praten, we moeten een paar dingen duidelijk stellen, Annelies.' Hij gaat op een eetkamerstoel zitten.
Annelies ploft, met de jas nog aan, op de bank. Ze ziet Ron kijken, springt dan weer op en brengt haar jas naar de garderobekast in de hal. Koffie, ze zou zelf dolgraag een kopje in de hand hebben. Haar keel is droog. En misschien zou het ook tegen de spanning helpen.

'Wat heb je gisteren gedaan?' vraagt Ron.
Ze haalt haar schouders op. 'Niks bijzonders. Jij?'
'We hadden bezoek. Dat wil zeggen: Susan en Arjan hadden bezoek, namelijk onze ouders, die als een magneet naar de baby worden getrokken. Komt nog bij dat Ineke míjn ouders als die van haar beschouwt. Je weet dat Ineke en Lars hun ouders jong moesten missen. Mijn vader en moeder waren meteen "paps en mams" voor haar. Dus hebben we de hele dag op de boerderij doorgebracht. Maar dat wil niet zeggen, Annelies, dat ik niet nagedacht heb over het probleem. Laten we het zo noemen. Want dat hebben jij en ik wel degelijk, en ik heb mijn conclusies getrokken.'
Het blijkt dat hij de bekentenis van Annelies serieus heeft genomen. 'Ik ben tot de conclusie gekomen, meisje, dat samenwerken gedoemd is te mislukken. De balans is verstoord en ik weet zeker dat jij het met me eens zult zijn, als je even logisch nadenkt.' Hij vouwt zijn lange benen over elkaar, gaat wat verzitten.
'Ik snap het niet.' Is dat haar eigen stem? Die kraakt zoals de stem van juffrouw Berkhout soms doet als ze geëmotioneerd is.
'Natuurlijk wel. Kom op, je bent geen puber meer. Een volwassen vrouw die gevoelens voor haar naaste collega heeft opgevat. Dat is gevaarlijk, weet je dat? Ook al zal ik Ineke altijd trouw zijn, maar het idee dat een van ons liefde heeft opgevat voor de ander... ieder gebaar, woord of wat dan ook, kan verkeerd worden geïnterpreteerd. Dus we kunnen maar één ding doen: onze samenwerking ontbinden!'
Annelies zou willen huilen, zich laten gaan. Het kost de grootst mogelijke moeite om zich te beheersen. Hoe wil Ron dat realiseren? De samenwerking ontbinden aangaande de oprichting van een opvoedkundig bureau? Ze zijn al zo goed op weg! En de locatie dan, op de Marktstraat? Wil hij die opgeven? 'Denk je dat je mij kunt ontslaan, of zoiets?' doet ze stug.
Ron glimlacht. 'Verkeerd uitgedrukt. Jij trekt je terug. Ik zoek dan ooit, in de toekomst, andere mensen die jouw plaats in gaan nemen.

En jij, je hebt je eigen praktijk. In plaats van daar minder te gaan doen, kun je nu juist weer meer gaan aanpakken. Ik ontsla je van alle afspraken. Een andere mogelijkheid zie ik niet. We vulden elkaar prachtig aan. Maar nu is er een kink in de kabel gekomen. Moet je er nog over nadenken? Voor mij is het duidelijk!'
Een wilde drift gloeit door Annelies heen. De plannen! Hun gezamenlijke plannen, de gelegde contacten met de scholen en andere instanties. Hún opvoedkundig bureau!
Ron ziet haar strijd en spant zijn kaken. Het is niets voor hem om iemand zo'n slag toe te brengen, maar hij ziet geen andere oplossing. Want hij wil dat wat op papier staat, in de praktijk brengen. Doorzetten, omdat hij al zo lang diep in zijn hart zeker weet dat hij dit wil.
'Komt nog wat bij. Wat ik nu ga zeggen zal je pijn doen, maar het is niet anders. Als dit, van zaterdagavond, niet gebeurd was, zou ik er een oplossing voor gezocht hebben. Maar nu... Wat ik altijd heb gewild, Annelies, is een opvoedkundig bureau met een christelijke inslag. Waarom? Omdat ik gemerkt heb dat daar behoefte aan is, náást de bestaande hulpverlening. Om mensen aan te trekken die dezelfde levensinstelling hebben en dus op een bepaalde manier, volgens Bijbelse grondslagen, hulp zoeken. En zoals je weet, is er al een instantie op neutraal niveau waar iedereen terechtkan. Niets mis mee... maar ík zou me graag willen specialiseren, vandaar mijn denkwijze. Het kan gebeuren dat een hulpzoekende die gelovig is opgevoed, zich aangesproken zou kunnen voelen als je aan de slag gaat met het evangelie als uitgangspunt. Ik weet dat jij niet... het zal moeilijk voor jou te begrijpen zijn... maar ik weet niet hoe ik je dit op een andere manier duidelijk kan maken.'
Annelies balt haar vuisten. 'Jij... je denkt dat je honderd procent gelijk hebt, maar o, wat zul jij je hoofd stoten! Als je Eke hoort praten... God zal dit, God zal dat... Bidden, dat doen ze daar ook nog volop, in plaats van hun kinderen goed op te voeden. Hun evangelische inslag

heeft hen niet verder kunnen helpen!' Ze slaat door, roept dingen die ze niet echt meent, maar het klinkt alsof ze het allemaal zo goed weet.
Ron krijgt tranen in zijn ogen. Is dit heus de Annelies die hij zo goed dacht te kennen?
Ze valt stil als ze uitgeput tegen de rugleuning zakt, de ogen gesloten. Ze voelt zich aan de kant gezet. Beledigd, afgekeurd. 'Jullie met je normen en waarden, vrome liedjes... ze spreken een gevoel aan, meer niet. Ik wil je nu bekennen dat ik er een tijdje terug écht over gedacht heb de plaats van Sigrid bij de band in te nemen. Lars heeft me een en ander uit jullie geloof uitgelegd. Klonk wel goed... maar het klopt niet. En ook al zou ik wíllen zingen, en dat wil ik, dan nooit en te nimmer teksten waar ik niet achter sta. Wat ik nu wil, is dat je gaat en nooit meer terugkomt. Ik stuur je alle spullen en verslagen die ik hier heb, wel met de post toe. Wat op de computer staat, krijg je per mail. Ik hoop dat onze wegen elkaar nooit weer zullen kruisen...'
Ron gaat staan, met de rug naar Annelies toe. Hij heeft het fout gedaan, had het anders moeten aanpakken. Maar hoe? Doodsbang haar te kwetsen, omdat hij niets met haar verliefde gevoelens kan. Hij had niet over het christelijke aspect moeten beginnen. Dat was niet relevant. Nu hakt ze op God en gebod, om een schuldige te treffen.
Annelies veert ook op. 'En je kunt de behandelkamers, het kantoor... de hele Marktstraat vergeten! Zeker weten dat Annie en Flip achter mij staan.'
Ron voert een innerlijke strijd. 'Ik praat hier met niemand over, Annelies. Dit is iets tussen ons beiden. Ik zet de plannen door, laat de betrokkenen weten dat de koers veranderd is. Het werkterrein zal verkleind worden, maar dat heb ik ervoor over. Ik hoef mezelf nu geen geweld meer aan te doen door sommige oplossingen, die met mijn achtergrond van doen hebben, buiten spel te laten. Dank je wel voor je openhartigheid en ik wens je...' Het ligt voor in zijn mond om

te zeggen: 'Gods zegen.' Dat moet hij dan maar dénken. Niet uitspreken. 'Ik wens je het allerbeste en ik hoop dat we ooit elkaar als vrienden kunnen bejegenen.'
Ze gilt hem na: 'Veel geluk met je christelijk opvoedkundig bureautje!'
Als hij naar de deur loopt, weet hij een rond kussentje te ontwijken. In plaats van hem te treffen, kukelt er een schilderijtje van de wand en als hij in de hal is, de deur achter zich dicht, hoort hij Annelies met gierende uithalen huilen.

Afspraken verzetten? Prima, de secretaresse van Annie en Flip zorgt er wel voor. Ziek? Jaja, er heerst griep. Zeker weten. Annie wil wel komen, maar Annelies zegt niemand te willen besmetten en bovendien wil ze nu alleen zijn. Slapen, slapen en nog eens slapen. Er is genoeg in huis, frisdrank en fruit. Meer verlangt ze niet. Telefoon uit, de voordeur goed vergrendeld en de bel uitgeschakeld. Ze wil alleen zijn met haar geschokte gemoed. Geen bezoek, want dat betekent dat ze erop los moet liegen. Ron moet zelf maar uitleggen waarom hun samenwerking niet langer functioneert.
Eveline is de enige die door de barrière heen probeert te barsten en als ze geen gehoor krijgt, propt ze tekeningen onder de deur door.
Na drie dagen heeft Annelies geen tranen meer. Ze ziet eruit, vindt ze, als de spreekwoordelijke dweil. Maar kalm is ze ondertussen wel. Ze moet oplossingen zoeken, alleen, want er is niemand die haar zou kunnen helpen. Doorgaan waar ze was gestopt, er zijn voor de mensen die met hun kinderen bij haar komen. Mensen zoals de Huizinga's zullen in de toekomst wel overlopen naar het christelijk opvoedkundig bureau. Haar een zorg! Mensen met probleemkinderen genoeg in de wereld en... ze laat zich niet kennen. Weglopen, verhuizen: ze doet het niet! Waar vindt ze ooit een locatie als op de Marktstraat?
Het verhaaltje voor haar ouders heeft ze ondertussen klaar. En ja,

wonderlijk genoeg is de griep de vijfde dag verdwenen.
Haar ouders reageren verbaasd. 'Waarom heeft Ron Schutte zich niet meteen uitgesproken over zijn ideeën? Dan was jij nooit zo ver in die plannen meegegaan, toch?' Annie en Flip betwijfelden in stilte toch al de plannen: er is immers al in de naaste omgeving een afdeling van een landelijke stichting. Misschien heeft een bureau met een eigen identiteit meer kans van slagen, het is afwachten. 'Je had je toch kunnen verdiepen in de christelijke materie? Er staan tegenwoordig ook wel predikanten op de kansel die het woord van God niet nauw nemen, er zelf invulling aan geven.'
Annie bemoedigt haar dochter liefdevol. 'Maar meisje, laat je niet uit het veld slaan. Dit is ook een kans om je eigen weg te vinden. Je woont geweldig, je hebt hier je praktijk, je bent nodig. Lang niet alle ouders met een probleemkind zoeken de weg naar een bureau. Jij bent wat je noemt "laagdrempelig" bezig. De artsen hier beginnen je te kennen en waarderen je manier van werken. Concentreer je daar maar op. En... Flip en ik hadden laatst een gesprek over jouw kwaliteiten. Als jij in je vrije tijd nu eens een handboek voor ouders met probleemkinderen zou samenstellen. Je hebt ondertussen veel ervaring opgedaan, vooral in een bepaalde leeftijdsgroep. Zie het als een hobby, invulling van de vrije tijd die je nu krijgt. Een schematisch handboek, met verwijzingen en conclusies. Nuchtere feiten en tips. En niet, zoals Ron, er een bepaalde visie in verwerken.'
Annelies kauwt op de binnenkant van een wang, overpeinst het idee. Het zou een invulling zijn van haar tijd, want die heeft ze opeens in overvloed. Zelf had ze aan een studie gedacht. Nog meer kennis vergaren. Ze grijnst. 'Mijn achternaam is niet onbekend in vakkringen, dankzij jullie publicaties. Haha, ik zou zelfs een roman over een kind als Lucie kunnen schrijven... maar dan onder een pseudoniem. Als ik háár problemen en de zorgen van die ouders prijsgeef, kunnen ze me aanklagen.'
Flip zegt dat Annelies niet alleen geweldig goed kan praten, uitleg-

gen en wat dies meer zij, maar ook schrijven. 'Overweeg het, meisje. Ik zou het heel erg jammer vinden als je er nu de brui aan geeft en ergens anders zou gaan solliciteren.'

'Ervan uitgaand dat er vacatures zijn!' voegt Annelies daaraan toe.

'Ook dat. Laat je door het leven inspireren.'

Die woorden geven Annelies de moed om door te gaan. Tot ze onverwacht Susan op bezoek krijgt, met de kleine jongen. En natuurlijk kaart Susan de verandering in de plannen van haar broer en Annelies aan. Heeft zelfs al een antwoord bedacht: 'Logisch, Annelies, dat je voor jezelf kiest. Je hebt een goedlopende praktijk en je zit daar lekker, bij je ouders op de Marktstraat! En mocht je een bijbaantje willen hebben: op de naschoolse kunnen we altijd deskundige hulp gebruiken.'

Annelies hoeft niet eens te reageren. Gemakkelijk is dat...

'En dan zitten we intern met nog meer situaties. Eigenlijk willen Arjan en ik best gauw nog een kindje. Had je niet verwacht, of wel? Dat heb ik aan jouw hulp te danken, ik zou het vlak na de bevalling niet aangedurfd hebben. Maar dat betekent wel dat ik minder in de opvang zal kunnen doen. Weet je dat Ron en ik een dubbele bruiloft wilden? Lachen toch, die plannetjes. Het is er niet van gekomen, zoals je weet. Ron was onzeker over wat hij precies wilde gaan doen en Ineke had haar handen vol aan de dubbele klassen. Ze hadden gemakkelijk woonruimte in de boerderij kunnen creëren. Want die is ruim genoeg voor twee gezinnen...'

Ieder woord over Ron doet Annelies pijn. Ron en Ineke, trouwplannen.

'En toen konden ze die huizen in de Van Praamstraat kopen. Met een stuk grond erachter voor een moestuin. Opeens kregen ze zicht op de toekomst. Trouwen doen ze zo gauw het huis klaar is, zeker weten. Ik denk dat Ineke op korte termijn wat werk betreft terug wil naar de boerderij. Dan neemt ze mijn taken weer over! Ach, ik zie mezelf wel hand- en spandiensten doen. Maar met kleine kinderen én de ontwikkelingen op de boerderij zal ik mijn tijd wel kunnen invullen. Nu is Arjan druk aan het overleggen met Victor van Vaals. Aardige vent is dat trouwens, niks voor jou? Enfin, ze zijn een schema aan het maken over de verbouw van groente en fruit. Alles biologisch voor een restaurant met een biologische afdeling. Van Victor moeten we zelfs bepaalde soorten onkruid gaan kweken. Het kan niet gekker. Straks voorzien we onszelf: het onkruid tussen de gewassen dat niet door chemische middelen verdelgd mag worden, plukken we als oogst voor Victor. Haha!'

Annelies benijdt haar vriendin om het enthousiasme dat ze niet kan delen. Eigenlijk voelt het of ze haar nieuw verworven vrienden kwijt is, want zíj zijn het die al bij elkaar hoorden. De Schuttes, samen met Arjan en Ineke Slot. Misschien Sigrid en haar boekhandelaar... al hebben die geen bloedband met de anderen. Dan houdt ze zichzelf streng voor: Annelies Bussink, je gaat niet de zielenpoot uithangen! Voorwaarts! Niet omkijken!

Ze is weer bij de les, doet haar best Susan te volgen. Die rebbelt maar door over plannen en mogelijke plannen, tot de kleine jongen aandacht opeist.

'Zo gaat dat als je een kind hebt. Geniet nog maar van je vrijheid, Annelies! Maar wat ik zei, meen ik: als je activiteiten zoekt: bij ons ben je altijd welkom. Je komt toch wel als we een avond organiseren voor de ouders van onze klantjes? Het gaat over opvoedingsperikelen. Als er niet genoeg reacties komen, kun jij de boel op gang brengen door een vraag te stellen. Idee?'

Susan hannest haar zoon met moeite in zijn jasje, klemt hem tussen de knieën als hij zijn mutsje niet op wil. 'Stil jij, kleine druktemaker! We gaan nog even langs de bakker, dan krijg je een kadetje.'

Annelies loopt mee naar beneden, tot aan de winkeldeur. 'Tot gauw, groetjes thuis!' Ze sluit de deur en vangt dan de blik op van Thijmen, die peinzend naar haar kijkt. Zou hij wat vermoeden?

Opeens beginnen zijn ogen te stralen en loopt hij vriendelijk glimla-

chend op haar af. 'Kom eens mee, jij. Ik heb een zending boeken, er zijn detectives bij van Scandinavische schrijvers. Nieuw in het theater! Je leest ze in één ruk uit. Kijk, die zijn voor jou. Cadeautje van de huisbaas!'
Annelies voelt de onderliggende troost in die woorden. Ze kan niet anders dan het cadeautje blijmoedig accepteren. 'Precies wat ik nodig heb! En ja, ik ben dol op het genre. Dank je wel, Thijmen!'
Ze voelt dat Thijmen haar nakijkt, ze is blij dat hij geen vragen stelt. Thijmen en Sigrid, hun levendige dochtertje, jawel, hen mag ze nog tot naaste vrienden rekenen. De eerste stappen naar de veranderde toekomst zijn gezet, en begint niet elke reis met die eerste stappen?

# 9

Na een paar dagen heeft Annelies haar gegevens wat betreft het op te richten opvoedkundig bureau naar Ron overgeheveld. Onder tranen. Het kost haar moeite zich te distantiëren van wat zo geweldig leek. Ron heeft ondertussen haar ouders officieel laten weten af te zien van de aangeboden werkruimte in het huis aan de Marktstraat.
Het kost Annelies veel moeite om de draad weer op te pakken. Zoals het nakomen van haar afspraken. Ze krijgt haar klantjes via huisartsen en gewoonlijk is ze snel met haar diagnose, waarna de therapie kan beginnen. Nu lijkt alles wat ze doet, vertraagd te worden. Zelfs haar gesprekken met Lucie Huizinga lijken te stagneren.
Lucie houdt trouw haar schriften bij. Annelies is verrast over wat het meisje zoal aan het papier toevertrouwt. Dagelijks komen er in het dagboek slechts een paar regeltjes bij, maar in het andere schrift is het anders. Ze schrijft aan haar 'vriendin', haar andere ik. Zo noemt Annelies die persoon.
Lucie wordt zelfs levendig als ze over haar spiegelbeeld praat. Ze is meer dan eerlijk en als Annelies het allemaal leest, kan ze zich soms bijna niet goed houden. Ze is ontdaan over dat wat Lucie voelt, meemaakt, hoe ze zichzelf inschat. Ertegen ingaan is nog steeds geen optie en het feit dat de kwaal is ingebeeld, helpt ook al niet. Toch wil ze niet opgeven.
Meer dan eens krijgt ze onverwacht bezoek van Eke Huizinga, die thuis ook al geen raad weet met het meisje. 'Onlangs gilde ze het uit en weet je wat ze riep, Annelies? "Ik wil een masker zodat niemand me kan herkennen!" En op school gaat het ook al slecht. Op de basisschool draaide ze haar hand niet om voor een spreekbeurt, terwijl andere kinderen peentjes zweetten. Lucie was vrijmoedig, en nu... ik herken mijn eigen kind niet meer!'
Af en toe begint Annelies aan zichzelf te twijfelen. Lucies problemen lijken voor haar te groot. Ook Annie buigt zich over de kwestie, heeft

er haar boeken op nageslagen. 'Kon je maar een dagje in dat kind kruipen, Annelies, haar gedachten om weten te buigen...'
Er wordt serieus overwogen Lucie met medicatie te behandelen. Annelies praat erover met de huisarts, die huiverig is om die voor te schrijven. Ze legt uit: 'Als het meisje een middel tegen depressiviteit krijgt, vat ze misschien iets meer moed om zichzelf anders te zien...'
Het is en blijft een gok en het wordt: nog even aanzien!
Nog één pijl heeft Annelies op haar boog: ze besluit vriendschap met Eke te sluiten. Zo komt het dat ze op een vaak herhaald verzoek ingaat en op een ochtend bij haar op de koffie gaat. De kou is eindelijk uit de lucht, de weilanden beginnen te groenen en zelfs de vogels leven op. Met genoegen rijdt Annelies over het fietspad de paar kilometer naar het huis van Eke Huizinga, die voor het raam op haar staat te wachten.
Ze wordt met vreugde begroet. De kinderen zijn naar school en de kleinste gaat sinds kort naar groep één. Het 'Let niet op rommel' ligt Eke in de mond bestorven.
Annelies gaat op een bank zitten, die duidelijke tekenen van veelvuldig gebruik toont. Hier en daar moeilijk te verwijderen vlekken, tekenen van slijtage. 'Meid, wat wil je met een huis vol kinderen? Ik weet zeker dat er een tijd komt dat je naar deze periode terugverlangt!'
Al gauw komt het gesprek op Lucie. Maar er is meer... 'Het was niet gepland, maar ik ben zwanger,' zegt Eke. 'Eigenlijk was het onmogelijk, volgens de artsen. Vanwege mijn operaties. Een kans van één op honderd. Toch is het gebeurd... ik ben nota bene al een paar maanden onderweg. Ik heb het aan de grootste kinderen verteld. En wat denk je? Lucie liep de kamer uit en vertelde later met moeite dat ze walgt van het feit dat... je snapt me wel, toch? Ze dacht dat Peter en ik... nou ja, te oud waren voor intimiteiten. Je bent in de ogen van tieners stokoud, hoor, als je veertig bent. Ze bekijkt ons alsof we ik weet niet wat voor smerigs op ons geweten hebben. Peter lacht erom...' Eke

heeft tranen in de ogen. 'Lucie heeft haar knuffel Troetel, die ze vanaf de babytijd heeft, tevoorschijn gehaald. Daar slaapt ze nota bene mee. En Peter en ik krijgen sinds ze het weet niet eens een nachtzoen meer. Kan het nog erger worden?'
Annelies laat niet merken dat ze schrikt. Inderdaad, kan het nog erger? Toch maar medicatie dan? 'En jijzelf, Eke, ben je blij met de gezinsuitbreiding? Ik kan me wel voorstellen dat je geschrokken bent.'
Eke knikt. 'Als het maar goed gaat, en dat doet het, wonder boven wonder. Een zesde kindje... het is welkom, hoor. In onze ogen is het een geschenk van God. Peter was er eerst wel overstuur van. Die is nog altijd bang dat ik weer een terugval krijg en dat we hulp moeten zoeken, net als toen. Maar ik heb meer vertrouwen.'
Annelies zegt dat ze Eke wil feliciteren. 'En, hoe zit het? Heb je alle babyspullen nog?'
'Jawel. Een wieg die opnieuw geschilderd moet worden, en bekleed. Louk is pas uit het witte bedje gegroeid en slaapt nu in een "echt" bed. Kleertjes, ach, die heb ik uit nostalgie nooit weggedaan. Ze groeien er zo snel uit. Bovendien: 's ochtends maak je je kindje mooi, het gaat in bad, schone kleertjes. En een paar uur later: kleertjes onder gespuugd, het spuugsel zit vaak tot in de haartjes, ze ruiken zurig, wieg of kinderwagen moet verschoond... je kunt opnieuw beginnen. Dus het kan mij niet meer schelen dat de kleertjes nogal verwassen zijn. Bij Louk dacht ik al: ik schaf niets nieuws aan, het is toch binnen de kortste keren weer te klein. Tja...' Ze vertelt dat haar zwangerschap hemelsbreed verschilt met die van Sigrid Schreurs. 'Ik zag laatst hoe zorgvuldig ze een babyuitzet uitzocht. Weet je dat ik me jaren en jaren ouder voelde dan zij? In ieder geval zo anders!'
Annelies drinkt haar koffie en probeert zich in deze vrouw en moeder te verplaatsen. Straks is Eke op alle fronten vervuld van de nieuwkomer, en zal ze dan nog tijd en aandacht voor Lucie hebben?
Zo komt het gesprek telkens terug op Lucie. Nee, vriendinnetjes

heeft ze niet meer. 'Ik kan toch moeilijk die meiden bellen en vragen of ze "komen spelen" zoals je dat bij een klein kind doet? Gebeurt het echt weleens dat kinderen zich van het leven beroven, Annelies? Daar ben ik soms zo doodsbang voor. Ik kan de weg naar haar niet vinden.'
Annelies kan zich dat goed voorstellen, kan ook geen zekerheid geven. 'Als er niet spoedig verbetering komt, Eke, moeten we niet alleen medicatie overwegen, maar ook of opname voor haar beter is. Hoewel dat natuurlijk een heel grote stap is. Een stap die impact heeft op haar verdere leven, hoe je het ook bekijkt.'
Hoewel Annelies goed met Eke overweg kan, wordt het geen vriendschap van geven en nemen. Ze zijn te verschillend, hun karakters en hun levens. Toch nodigt ze Eke uit de koffie bij haar te komen drinken. 'En als ze thuis is, kun je Lucie best eens meebrengen. En trouwens: ik wil ook eens met een paar docenten praten.'
Ze nemen afscheid, gaan uit elkaar, maar hun gedachten volgen hetzelfde spoor, dat Lucie heet. Annelies is vol van de situatie in het gezin Huizinga en ze is zo in gedachten verzonken dat ze opschrikt als iemand haar naam noemt en bijna de berm naast het fietspad in duikt. 'Hé Annelies, stop eens, je kunt hier niet zonder meer voorbijrijden!'
Er springt iemand vlak voor haar fiets en ze kan niet anders dan de handremmen stevig gebruiken. 'Je laat me niet alleen schrikken, Lars Schutte, je bent ook een gevaar!'
Lars grijnst ondeugend van oor tot oor. Hij lacht om haar boosheid, met zijn sterke handen weet hij de fiets zo te keren dat het voorwiel nog net niet in de tuin van juffrouw Berkhout staat. 'Kijk, de vrouw des huizes staat al voor het raam te wenken. Ze zag je daarstraks voorbij racen. De lieverd. Geloof me, de koffie met koekjes staat al op je te wachten.'
Annelies stampvoet. 'Hé, ik ben nog steeds baas over mijn eigen tijd. Laat me alsjeblieft doorgaan!'
Juffrouw Berkhout komt naar buiten gedribbeld, een poesje in haar

kielzog. 'Daar doe je goed aan, Annelies, om mij op te zoeken. Op mijn leeftijd word je eenzaam, mij zijn al zo veel leeftijdsgenoten ontvallen...'
Annelies zwicht. Juffrouw Berkhout kijkt haar zo lief aan, bijna smekend. 'Ik heb al koffiegedronken, maar misschien kan er nog een klein kopje bij...'
Ada Berkhout pakt haar bij de hand, terwijl Lars tevreden de fiets door het grind duwt en tegen het huis parkeert. Eenmaal binnen begint de gastvrouw te dwingen. Jas uit, sjaal af. 'Heerlijk dat de zon schijnt, toch? Kom maar gauw de kamer in. Jaja, de verwarming is nog aan, want als je stilzit, is het toch gauw huiveren. Foei, Lars, je hebt bijna de hele koekjestrommel leeggesnoept. Maar wacht, ik heb nog verse op de bakplaat...'
Annelies wordt in een stoel geduwd en Lars gaat pal tegenover haar zitten. 'Jij weet wel wat ik je vragen wil, Annelies! Wanneer zie je nou eindelijk in dat je een gekregen talent niet mag negeren?'
Annelies wordt rood in het gezicht. 'Dat is zeker weer zo'n kreet uit de Bijbel. Dat met die talenten en zo. Ik heb destijds niet gekozen voor de muziek, al heb ik er, zoals je weet, wel even over gedacht. Maar nee, het werd mijn huidige vak. Een ander talent, zo je wilt. Dus... staak je gezeur!' Ze hapt naar adem. 'Bovendien hebben we dit al uitgebreid besproken. Je kent mijn standpunten. Wat ik wil zingen, is niets voor jou. Er zijn heel mooie songs uit de jaren vijftig, zestig. Kijk, als je die nu nieuw leven in zou willen blazen... Maar nee, jij houdt het liever beperkt.'
Lars heeft meer pijlen op zijn boog. 'Je ziet toch dat Sigrid het niet lang meer volhoudt om te zingen? Ze moet zich er echt voor inspannen, terwijl het jou met gemak zou afgaan. Jij bent een natuurtalent. Je zingt zo mooi hoog en zuiver, maar ook als je de diepte in duikt, krijg ik kippenvel.'
Juffrouw Berkhout komt met een overvol dienblad binnen. Ze bedisselt dat Lars ook nog wel een kopje lust. En de verse koekjes zijn

sowieso te verleidelijk om te negeren. Ze kakelt: 'Heb je haar zover, Lars, wil ze eindelijk zingen?'
Annelies beheerst zich en lijkt kalm als ze zegt: 'Zoals ik al zei, beste mensen, áls ik zou zingen, zou ik een heel ander repertoire uitkiezen. Franse chansons, bijvoorbeeld. Edith Piaf, Charles Aznavour. Of Roger Whittaker, dat vind ik ook mooi. Niet de stokoude versjes uit vergeelde bundels.'
Ada Berkhout klapt als een echte schooljuffrouw in haar handen. 'Hoe kun je het zeggen, meisje. Die liederen zijn helemaal in, toch, Lars? Er komt binnenkort wéér een cd uit en ze gaan als ik weet niet wat over de toonbank.'
Lars grinnikt. 'Als de koekjes van tante Ada. Zo is het. Ach, Annelies, het is een kwestie van tijd. Zeker weten. Ooit staan we samen op het podium!'
Hij grijnst, lijkt heel even op Ron. Maar minder serieus, vrolijker ook. Alsof hij constant binnenpretjes heeft.
'Ron zei laatst al...'
Annelies hoort niets meer, haar oren zoemen alsof er een korf bijen in zitten te brommen. Gelach. Langzaam komt ze weer tot zichzelf, knoeit koffie op haar trui.
Dan stopt Lars met lachen en praten, kijkt haar ernstig aan en zegt opeens haast te hebben. 'Telefoontje!' En weg is hij. En in zijn hoofd is opeens het weten: er is iets met Annelies aan de hand wat met Ron te maken heeft.
Juffrouw Berkhout ratelt door over gemeenschappelijke kennissen. Lucie Huizinga bijvoorbeeld. 'Dat kind fietst hier twee keer per dag voorbij. In elkaar gedoken, en uitkijken doet ze ook al niet. Laatst reed ze niet op het fietspad, maar op de weg, en die is toch al zo smal. Ze kwam bijna onder een auto. Ik schrok van het getoeter en je had de chauffeur moeten horen! Schelden en vloeken. Enfin, het arme kind. Ik had haar bijna binnengehaald, maar die man zette haar op het fietspad. Ik heb er nog even over gedacht haar ouders te waarschuwen...'

Ook dat nog. Lucie die niet goed uitkeek? Of was er opzet in het spel? Annelies voelt zich bezwaard. Nee, haar beroep valt niet altijd mee. Zeker niet als je zelf een dreun hebt gekregen van het leven.

Het valt voor Annelies niet mee de mensen die verwant zijn aan of bevriend zijn met Ron, te ontlopen. Meestal lukt het redelijk, maar af en toe is er onverwacht die confrontatie. Zoals de keer dat ze het huis van haar ouders verlaat, en Victor op haar af komt stuiven. 'Annelies, je bent met de auto, zie ik. Die van mij is naar de garage, grote beurt. Wees lief en zet me ergens af... ik zit zo krap in mijn tijd en fietsen schiet niet op!'
Annelies moet bijna altijd een beetje lachen als ze hem tegen het lijf loopt. Hij straalt onbezorgdheid uit, terwijl hij veel, heel veel aan zijn hoofd heeft. Onverzorgd oogt hij ook, met zijn wilde krullenkop en – voor een man – te lange kapsel in de ogen van veel mensen, zelfs van Annelies. Zijn kleding zit onder de verfvlekken en de spijkerbroek is gescheurd, niet omdat hij zo is gekocht, maar door slijtage. Het is minstens drie dagen geleden dat hij zich heeft geschoren. Zeg maar eens nee tegen een zo innemende persoon. Annelies krijgt een schokje van plezier als ze knikt. 'Stap maar in. Ik heb mijn werk erop zitten. Vertel maar waar je moet zijn!'
Gordels om, starten, roekeloze kinderen per fiets om hen heen. Even heeft geen van beiden aandacht voor de ander. Annelies kent als geen ander het onvoorspelbare gedrag van kinderen, en denkend aan Lucie, rijdt ze heel bedaard de winkelstraten door.
'Je gaat de goeie kant uit. Geweldig toch! Een goeie buur is beter dan een verre vriend. Ja, het dorp door. Daar moet ik ook zijn, de Buitenweg. Ach, die route ken je natuurlijk. Daarginds, de bioboerderij. Ik moet nodig Arjan spreken. Hij wil nog meer kassen neerzetten, ik ga erin investeren. Geweldige plannen, niets maakt zo gelukkig in het leven als het maken van plannen. Maar daar weet je alles van... o wat zeg ik nou toch!'

Annelies mindert vaart en vraagt zich af of ze hem op de weg kan afzetten zonder onbeleefd te zijn.
'Ik weet dat het mis is gegaan met het bureau waar je zo druk mee was,' zegt Victor. 'Je moet maar denken: als er een deur voor je neus wordt dichtgegooid, gaat er ergens anders wel weer een raam open. Wil je zo lief zijn het erf op te rijden? Daar is een parkeerplaats... ik ben zo klaar met Arjan. Zou je willen wachten?'
Annelies slikt en knikt. Er zit niets anders op. Trouwens: waar is ze bang voor? De kans dat ze Ron hier ontmoet, is erg klein.
Ze zet de auto zo neer dat er ruimte is voor andere auto's, want ze weet ondertussen dat tegen zes uur het een komen en gaan van ouders is. Ze ziet Ineke lopen, aan iedere hand een hondenriem. Wuiven, een kushand.
'Leuke mensen!' geniet Victor als hij uitstapt. 'Weet je dat die hondjes van Ineke telkens een andere naam krijgen? Ze heten volgens haar al geruime tijd Prins en Prinses... misschien blijft het daarbij.' Zou Eveline het idee haar pony geregeld van een nieuwe naam te voorzien, afgekeken hebben van Ineke?
Annelies laat zich wat zakken, probeert zich onzichtbaar te maken. 'Schiet nou maar op, jij. Ik wacht hier wel!'
Terwijl ze op Victor wacht, vraagt ze zich af of Ron al een vervanger voor haar heeft. Ze zou het niet weten, en sterker nog: eigenlijk wil ze het ook helemaal niet weten.
Ineens staat Ineke naast de auto en ze timmert op een ruit. De riemen heeft ze inmiddels in één hand. 'Kom je er niet uit? Even bijkletsen!'
Annelies aarzelt, weet niet zo snel een smoesje te verzinnen en stapt gelaten uit. Ze kucht, slikt een brok in haar keel weg. 'De lente is in aantocht!' zegt ze schorrig. 'Hmm, het ruikt hier naar boerenland.'
Ineke knikt heftig. 'Wat je ruikt, is kuilvoer. Daar heb ik me toch aan moeten wennen! En nu zijn al die luchtjes me lief. Arjan en ik hebben van oorsprong boerenbloed, moet je weten. Loop je even met me mee, ik wil je wat vragen. Binnen is het een herrie vanjewelste, dat is

altijd zo tegen de tijd dat de kinderen worden opgehaald. Kom, dan kruipen we even in de stacaravan. Die heb ik een grote beurt gegeven, alles blinkt en is klaar voor een volgende huurder.'

Annelies is al eerder in de caravan geweest en voor ze binnenstapt, veegt ze haar voeten grondig, wat geen overbodige luxe is. 'Als ik toch mijn appartement niet had... ik geloof dat ik graag in dit huisje zou willen wonen!'

Ineke knikt begrijpend. 'Je bent de enige niet. Sinds hij leegstaat, hebben we geregeld aanvragen gehad voor verhuur. Maar we willen er niet zomaar iemand in hebben. Weet je wie er nu een tijdje intrekt? Victor van Vaals. Wat is dat een leuke man, zeg! Arjan kan goed zaken met hem doen. Hij heeft nog wel even wat te doen voor het restaurant geopend kan worden. Hij gaat erboven wonen, maar het schiet daar niet op, zegt hij. Volgens mij wil hij veel te veel zelf doen. Met de ogen heb je het werk al half geklaard, maar in werkelijkheid is er nog niet veel gebeurd.' Ze onderbreekt zichzelf. 'Ga toch zitten, meid! Ik wilde je een paar dingen vragen. Ten eerste: ik dacht dat jij en Ron het zo goed samen konden vinden. Opeens is het gedaan met de samenwerking. Toch geen ruzie gehad? Sorry dat ik zo nieuwsgierig ben, maar alles wat Ron aangaat, gaat mij ook aan. Hij was al eens wat begonnen voor kinderen uit eenoudergezinnen. Op verzoek was dat, maar daarna wilden we samen kinderen helpen die niet sporen en daardoor achterstand in de leerstof oplopen. We zouden het samen doen. Maar dat is geen nieuws voor je, toch? Eigenlijk lijkt me dat leuker werk dan voor de klas staan. Gelukkig heb ik nu zicht op iets anders. Als Susan straks meer dan één kind heeft, wordt het werken haar te veel, denk ik. Weet je, ik heb nu een vast salaris en een vaste baan, dat is tegenwoordig ook niet meer zo vanzelfsprekend! Als ik eenmaal getrouwd ben, hoop ik dat we voornamelijk kunnen leven van Rons inkomen. Wat ik ga inbrengen, is bedoeld als spaarpot.'

Annelies vindt haar beheersing terug. Ze luistert, knikt om te bevestigen dat ze weet van Rons plannen én dat Susan haar handen nu al vol

heeft aan Derk-Jan en het huishouden.
'Maar Susan heeft niet echt gevoel voor de biobezigheden, en ik wel. Arjan en ik zijn destijds samen bezig geweest alles hier op te zetten. Nu, met mijn schoolwerk, zit ik vast aan bepaalde uren én daarbuiten, vanwege de vele vergaderingen. Huisbezoeken... dat soort buitenschoolse activiteiten. Maar mijn hart gaat toch deze kant op. Enfin, de toekomst zal leren wie wáár aan het werk gaat. Misschien ben ik indiscreet, maar... wil je me toch duidelijkheid geven waarom jij en Ron die kar niet meer samen trekken? Hij doet er zo vaag over.'
Annelies pijnigt haar hersens om een logische reden te bedenken. 'Tja... het zit zo. Eh... Ron zou uiteindelijk toch graag een bureau oprichten vanuit een christelijke visie. En zoals je weet, ben ik van huis uit niet gelovig. Het wordt dan moeilijk om mensen en hun kinderen advies te geven. Hoe moet ik dat uitleggen...'
Ineke zegt het al te begrijpen. 'Als je de Bijbelse normen en waarden hanteert, ben je anders bezig dan wanneer je neutraler denkt. Dat snap ik. Tja, je kunt niet zonder meer van standpunt veranderen. En daar komt bij dat jij toch al voor jezelf werkt. Maar eerst liepen de plannen als een trein! Jij zorgde voor van alles en nog wat. De website, de vergaderingen en de contacten op de scholen! Ron heeft je toch niet zomaar de bons gegeven?' Ineke lijkt echt bezorgd.
Annelies wordt er verlegen van. 'Je moet het zo zien: gaandeweg leer je elkaar beter kennen en als dan blijkt dat hij leeft vanuit zijn geloof in God en ik niet, dan kom je elkaar op bepaalde punten tegen. Dat zou in de toekomst voor problemen kunnen zorgen.' Hèhè, ze is eruit. En, zo vindt ze zelf, het klinkt allemaal aannemelijk.
De diepe rimpel in Inekes voorhoofd is nog niet weg. 'Wil je er met iemand over praten?' vist ze.
Nu bloost Annelies. Erover praten, en zeker laten doorschemeren wat de echte reden van hun breuk is! Nee, dat gaat geen mens wat aan.
Ineke verduidelijkt: 'Ik begrijp best dat je tegen van alles aanloopt, Ron kan erg op zijn strepen staan. Heeft hij je gekwetst? Dat zou ik

heel vervelend vinden. Mocht je op zoek zijn naar duidelijkheid wat betreft het evangelie... ik ken best mensen die je wegwijs willen maken. Niet om je weer bij Ron aan te sluiten, maar voor jezelf.'
Annelies is weer op bekend terrein. 'Niet iedereen heeft behoefte aan dat soort leiding, ik zoek mijn weg liever zelf. Van een God kan ik me geen voorstelling maken.'
'Moet je ook niet doen, dat kan ook helemaal niet. God is geest, moet je weten. Zie dat als een andere materie. Jezus is Zijn zoon, is mens geweest en kent uit ervaring onze manier van denken en leven. Hij is op aarde gekomen om een offer te zijn. Vroeger eiste God een dierlijk offer van de mensen om hun zonden uit te wissen. De zonden werden symbolisch op het dier gelegd. Een dier was wat waard, dat kostte wat. Aan de kinderen op school leg ik het zo uit: er zijn nu zó veel mensen op aarde, er zijn zó veel slechte dingen, zonden dus, dat er geen dieren genoeg zouden zijn als ze geofferd moesten worden. Toen stuurde God Zijn eigen zoon. Een zoon is een stuk van jezelf, begrijp je? En Jezus kon, omdat hij de zoon van God was, zonder zonde leven... En dan krijg je natuurlijk de kruisdood, dat is moeilijk om aan kinderen uit te leggen. Maar ze weten wel van de boze. De duivel, die, leg ik ze uit, érg slecht is. En om die te overwinnen moest de Here Jezus sterven aan het kruis. Hij nam alle boze dingen en zonden mee de dood in. Toen Hij opstond, weer levend werd, hoefde niemand meer een dier te offeren. Nu kun je simpel zeggen: Heer, vergeef mij! En dan ben je schoon.' Ineke kijkt voldaan. Ze praat graag over haar werk.
Voor Annelies is het onbegrijpelijk. 'Alsof iedereen op de wereld zo slecht is! We zijn niet allemaal moordenaars, dieven of verkrachters!'
Ineke zakt achterover op de bank. 'Je moet het niet vanuit onze ogen bekijken, maar vanuit die van God. Hij is volmaakt. De kleinste ongerechtigheid is in Gods ogen al een misdrijf. En tja, Hij houdt van ons... zoals we zijn. Dankzij het kruisoffer mogen wij zomaar bij Hem binnenlopen!'

Annelies verbijt een glimlach. 'Nou, sorry, maar ík voel me niet aangesproken. Zulke zware woorden... zonde, offer. Het zal wel komen doordat jij ermee bent opgegroeid. Als kind neem je aanvankelijk alles aan wat je wordt verteld. Maar ben je toen je ouder werd, er dan niet zelfstandig over gaan nadenken?'
Ineke denkt terug aan haar eenzame jeugd, zonder ouders. Zij en Arjan klampten zich vast aan alles wat troost bood. 'Ik heb inderdaad al als heel klein meisje leren bidden. Mij werd verteld dat Jezus niet meer op aarde woont, maar als je bidt, komt zijn Heilige Geest om je te troosten. Zie het als iemand die toegang tot je diepste ik heeft, je hart, zeg maar. Dat ging op een gegeven moment echt voor me leven en voor mijn broer was dat net zo. Arjan en ik denken er hetzelfde over. Zonder het geloof waren we nooit staande gebleven.'
Het wordt stil in de caravan. Van buiten komen geluiden van af en aan rijdende auto's. Kindergeroep en het blaten van schapen en koeien klinken door elkaar heen.
'Je vindt me natuurlijk een halve dominee. Maar zulke dingen komen vanzelf aan de orde als je elkaar beter leert kennen, dan moet je... ja, dan moet je getuigen van je geloof.'
Annelies vindt Ineke aandoenlijk in haar eenvoud. 'Het is als volwassen mens inderdaad moeilijk om dat allemaal klakkeloos te aanvaarden. Ik voel me geen zwartepiet, niet zondig. Niet dat ik volmaakt ben... maar als je de lat zó hoog legt, is er niet één mens die het goed zou doen!'
Ineke gaat staan. 'Gelijk heb je, goed gezien. Niet één mens, maar wel Jezus, die mens is geweest. Echt, ik ken wel mensen die...'
De caravandeur vliegt open, Arjan roept: 'Dacht ik het niet! Hier zitten de vrouwlui verstopt, Victor! In jouw nieuwe huis.'
Opeens is de kleine ruimte meer dan gevuld door de binnenkomst van twee mannen, Arjan en Victor.
'Zijn jullie bij de huur inbegrepen?' doet hij geschrokken.
Ineke stelt voor om met z'n vieren naar de boerderij te gaan. 'Of

hebben jullie haast?'
Eigenlijk wel, beweert Victor. Maar als er wat te halen valt, een kop koffie met toebehoren, dan is hij van de partij.
Als Ineke en Annelies achter elkaar het trapje af lopen, glipt een poesje langs hen heen naar binnen. 'Die krijg je er wel bij! Dat is Dropje. Een poes die nergens anders meer kan aarden.'
Terwijl ze naar de boerderij lopen, vertelt Ineke over de plannen. 'Plannen, die zijn er altijd. Zolang Arjan leeft, zullen er plannen zijn. Ginds komen nieuwe kassen, waar Victor zijn aandeel in krijgt. Biologisch geteelde groenten. En onkruid, naar het schijnt! Als je het hier gezien had toen we voor de eerste keer kwamen nadat we de boerderij geërfd hadden... niet voor te stellen, zo veel als er sindsdien is gebeurd.' Ze vertelt over de periode dat ze pas lerares was en in de stacaravan kwam wonen. 'Mijn paleis, riep ik, en mijn autootje werd vanzelf de gouden koets!'
De woonkeuken van de boerderij is precies zoals men zou verwachten. Ruim, ouderwets uiterlijk met wél de nieuwste snufjes op huishoudelijk gebied. Een tafel waar veel mensen aan kunnen zitten en het is Annelies of ze de echo's van die bijbehorende stemmen nog kan horen.
'Ga zitten, de koffie komt eraan.'
Victor en Arjan laten niet lang op zich wachten. Even later voegt Susan zich bij hen, de kleine zoon op haar arm. Hij strekt zijn armpjes uit naar Annelies, die hij herkent. Vertederd neemt ze het kind op schoot en een bijna vergeten geluksgevoel neemt bezit van haar. Want het is aan háár inzet en ervaring te danken geweest dat Susan, nadat het jochie was geboren, herstelde van haar dwangmatige vrees het kind te verliezen. Ze mag dan in de ogen van al die 'andersdenkenden' eigenwijs zijn, zondig en wel, dít heeft ze toch voor elkaar gekregen.
Van een gesprek komt niets meer terecht, Derk-Jan eist alle aandacht op.

Het is Victor die Annelies maant haar koffie op te drinken. 'Jij kunt avond gaan houden, buurmeisje, ík moet zwoegen tot ik erbij neerval. Een uur of elf, denk ik, wordt het wel!'
Arjan heeft ook opeens haast. 'Melktijd! Hier roept de plicht ook, luister maar!' Het geloei van de koeien dringt tot in de keuken door en na een hartelijke groet is Arjan vertrokken.
Annelies en Victor volgen in kalmer tempo. Als ze wegrijden, komt er een bekende wagen het erf op. Ron. Annelies is dankbaar: net op tijd vertrokken, dat is wat ze denkt. Ze merkt niet dat Victor heel even opzij kijkt, haar gezicht ziet verkrampen en er het zijne van denkt...

# 10

Wat Ineke probeerde uit te leggen, laat Annelies niet los. Het hindert haar: er zou iets ontbreken in haar levensvisie. Uiteindelijk legt ze het bij haar ouders neer. Ze zitten bij uitzondering nu eens niet aan tafel tijdens een discussie, maar in de grote voorkamer. De open haard brandt, vlammen likken hebberig aan kurkdroge houtblokken. Ondanks de centrale verwarming is het soms in het huis met de hoge plafonds kil, als het buiten vochtig weer is.

De zware overgordijnen sluiten de wereld buiten en de vrouw des huizes kijkt gelukkig om zich heen. De kamer is precies zo geworden als ze bedoeld hebben. Vooral 's avonds, vindt ze. Zoals nu. Haard aan, man en dochter in de nabijheid. Uitrusten na een dag stevig werken.

'Wat is ons Anneliesje toch stil!' merkt Flip op. Ook hij is ontspannen en geniet.

'Dat dacht ik nu ook, maar het verschil tussen ons, Flip, is dat jij zegt wat je denkt en ik niet.'

Annelies kijkt van de ene ouder naar de andere. Vreemd, nu ze het huis uit is, ziet ze hen anders. Nou ja, echt 'weg' is ze niet. Ze woont op een steenworp afstand. En in werkelijkheid brengt ze net zo veel tijd in het huis aan de Marktstraat door als in haar eigen appartement.

'Hebben jullie in de praktijk weleens te maken gehad met mensen die anders denken? Ik bedoel... niks moeilijks, maar christenen en zo.'

'Waarom vraag je dat?' vraagt Flip, en hij schenkt nog maar eens wijn in hun glazen, die fonkelen in het licht van een schemerlamp.

'Probleempjes? Het kind van Huizinga?' informeert Annie belangstellend.

'Daar heb ik die problemen niet mee. Hoewel ze wel af en toe laat merken dat ze bidt. En haar moeder, Eke, helemaal. Die zegt God te vertrouwen en alles van Hem te verwachten. Kijk, dat vind ik nou moeilijk.'

'Je hoeft toch niet op alles in te gaan, er wordt niet van je verwacht dat je gaat discussiëren, Annelies. Per slot van rekening kun je vogels van allerlei pluimage in je kantoor krijgen. Moslims, die hebben ook weleens een probleempje... om maar eens een religieuze groep te noemen.'
Annelies voelt dat de wijn haar iets kalmeert, misschien een tikje vrijmoediger maakt. Normaal gesproken begint ze niet snel over iets wat haarzelf bezighoudt, voordat ze een uitweg ziet. 'Ik ben... ik bedoel: Ron wil verdergaan met een opvoedkundig bureau op christelijke grondslag. Wel, zoals jullie weten, scheidden daar onze wegen. Leek zo leuk, dus niet. Onlangs werd ik aangehouden door zijn eh... verloofde, zal ik maar zeggen. Ineke van de boerderij. Zij begon over God en gebod, over zonden, offers, weet ik wat al niet meer. Ik heb eerlijk bekend dat ik zo goed als niets weet over godsdienst, alleen dat het sommige mensen helpt en weer anderen kapotmaakt. Zo is het toch? Ik herinner me dat ik als klein kind een tijdje met een vriendinnetje naar zondagsschool geweest ben. Daar zongen we van die liedjes... Blij, blij, mijn hartje is zo blij...'
Annie glimlacht. 'Ik hoor je nog zingen. Wat een volume...' Ze maakt het versje af, ze heeft het destijds zo vaak moeten horen dat ze het uit haar hoofd kent. 'Want Jezus is een vriend van mij, daarom is mijn kleine hartje altijd blij, blij, blij!'
Flip en Annelies schieten in de lach. Ook Annie heeft een goed stemgeluid, al mist ze het volume van haar dochters stem. Flip heft zijn glas en zegt wat te moeten bekennen. 'We hebben jou met opzet niet christelijk opgevoed, om je de kans te geven op latere leeftijd zelf een keus te kunnen maken. Nu dus? Wat ik je nooit heb verteld, is, dat mijn ouders zeer streng in de leer waren. "Raak niet, smaak niet, roer niet aan." Hele zondagen niets anders dan een boek lezen, bordspellen doen, twee keer naar de kerk en zelfs de radio mocht niet aan. Het schijnt dat het bij mijn beide ouders thuis vroeger nog strenger was. Je begrijpt dat ik, zodra ik op kamers ging, alles overboord heb

gegooid.' Hij drinkt zijn glas leeg en zet het op de schoorsteenmantel.
'Wist ik niet!' Annelies verbaast zich.
Flip knikt en lijkt even erg ver weg met zijn gedachten. 'Ik kreeg vrienden, een gelovig, de ander niet. Maar het geloof van die een was zo anders dan dat ik dat thuis gezien had, dat we telkens in discussies verzeild raakten. Die maat van me zei dat God liefde was, sprak over Jezus Christus als zijn grote vriend en helper. De andere student voelde zich aangesproken en wilde leren bidden. Ik bleef sceptisch. De gelovige jongen kreeg een dodelijke ziekte en het wonder was, dat hij bleef geloven. Toen duidelijk werd dat het met hem zou aflopen, deed hij niets dan vertellen wat hem allemaal te wachten stond: alleen maar heerlijkheden. Je had op die begrafenis moeten zijn... er werd gezongen, getuigd, gelachen, gehuild en gebeden. En ik? Ik kon er niets mee. Iets in mij was verdoofd. Maar soms, Annelies, denk ik weer aan die vriend. Dan hoor ik hem, dan zie ik hem in mijn dromen. En dan praten je moeder en ik erover. We hebben jou daar nooit mee willen belasten. Wat is goed? Wat is fout? Ik wilde in geen geval dat jij een jeugd zou krijgen zoals ik heb gehad.'
Het houtvuur leidt een eigen leven, vonkjes spetteren op de antieke tegels die ervoor zijn gemetseld. De geur van appel drijft de kamer in. Het voelt zo veilig, vertrouwd. Buiten is het kil, buiten is ook Ron.
Dan komt Annie: 'Ik heb ook weleens getwijfeld, Flip, dat weet je. Dan zei ik: "Laat de kinderen tot mij komen en verhinder ze niet." Dat hebben wij wel gedaan!'
Annelies verslikt zich bijna in de laatste slok van de lekkere rode wijn. 'Jullie hebben het prima gedaan! Ik ben iets geworden, ik sta op eigen benen en heb een toekomst. Jullie zijn unieke ouders voor mij geweest. Al mijn vriendinnen, vroeger, waren stikjaloers, omdat jullie zo leuk met mij omgingen.'
Flip en Annie kijken elkaar glimlachend aan. 'Ten dele heb je gelijk,

lieverd. En we houden van je. Liefde is de voorwaarde voor alles...'
Dan gooit Annelies haar twijfels eruit. Liefde, God zou liefde zijn. 'Maar dan sta je toch niet toe dat je enige zoon aan het kruis genageld wordt? Hoe afschuwelijk moet dat zijn geweest!'
Opeens herinnert Flip zich van alles wat er bij hem ooit is ingepompt en ook opeens stoort het hem niet langer. 'Jawel, maar God houdt nog meer van ons, Zijn schepping!' Hij legt uit, verbaast zich over zijn eigen woorden en manier van doen. Denkt: dat zouden mijn ouders eens moeten horen, Flip op de preekstoel! 'En waarom God zo veel van Zijn eigen schepping houdt? Omdat Hij niet anders kan. Zo kan Hij niet toestaan dat diezelfde schepping vernietigd wordt, Hij heeft plannen die nog in het verschiet liggen. Ach, wij zijn zo klein, stippeltjes in het heelal. Begrijpen kunnen we niet alles, tja, dan moet je accepteren en... loslaten wat je niet kunt bevatten.'
Als hij stilvalt, weet Annelies niet te reageren. Ook Annie zwijgt. Tot Annelies peinzend zegt: 'Dus jij denkt, papa, dat het waarheid is? Wat moet ik denken van de kreet: eeuwig leven?'
Tja, Flip denkt na. Legt een vinger langs zijn neus, er komt een rimpel in zijn voorhoofd. 'Een professor zei een keer: "Net wat er staat: eeuwig is eeuwig. Punt uit." Maar ja, dan ben je jong en je hebt van alles aan je hoofd. De liefde, de studie, je idealen. Maar nu ik ouder word, Annelies, komt diezelfde eeuwigheid op me af.'
Annie trekt een zak chips open en verdeelt de inhoud over drie schaaltjes. Wat een gesprek. Ze wordt er nerveus van en zet de lekkernij binnen ieders handbereik.
Flip gaat verzitten, de stoel kraakt onder zijn gewicht. 'Het houdt mij ook al geruime tijd bezig. Je kunt pas een eerlijk oordeel vellen, Annie, Annelies, als je weet wat er te weten valt. Dan kun je een keus maken. Niet zoals ik vroeger heb gedaan, dat was puur reactie. Want die manier van geloven, ik doel op mijn ouders en hun visie, berust op menselijke inzichten. Maniertjes, wetten. Noem maar op. Ik heb een idee. Onlangs sprak ik een alleraardigste kerel die iets in die

wereld betekent. Artikelen schrijft, her en der spreekt, zo iemand. Niet de eerste de beste. Als ik hem nu eens vraag om ons voor te lichten, want zo noem ik dat. Ik spreek bewust niet van eh... bekeren, enzovoorts. Voorlichten over dat wat de kern is van geloof in God als Schepper van hemel en aarde. Je weet wel: de eerste dag schiep God het licht, de tweede dag heeft Hij de dampkring ingericht... ik ken het nog uit mijn hoofd.' Al doe je het niet voor jezelf, vindt hij, het kan geen kwaad om je licht op te steken in verband met de mensen die aan je bureau komen zitten en soms een godsdienstige achtergrond hebben.
Annelies is huiverig voor het plan. 'Dan krijgen we een etiket opgeplakt. Lijkt me niets... alsof je overloopt! Opeens je levensvisie verandert. Opeens zou ik wél die liedjes van Lars Schutte kunnen zingen.'
Annie zegt: 'Stapje voor stapje, denk ik. Het is net zoiets als een cursus Spaans. Je iets eigen maken. Eerst observeren, overwegen. Dat soort dingen. Misschien hebben we ongelijk gehad, je vader en ik. Kan toch? Ik heb altijd getwijfeld: wat als het toch eens waar blijkt te zijn. En nog wat: dat je in het hier en nu een keus moet maken... Dan krijgen je vader en ik opeens haast, want wij zijn niet zo piep meer. Hoeveel tijd heb je om te kiezen? Als je ooit een Bijbel wilt bestuderen? Ik heb er nog een paar in de kast liggen. We zijn namelijk wél in de kerk getrouwd, vanwege opa en oma Bussink. Ze moesten ons nu eens kunnen zien zitten...'
Annelies spot: 'Vanaf hun wolkje, toch? Ach, Annie. Hoewel ik opeens een idee heb... Ter wille van Lucie Huizinga zou ik wel meer over het fenomeen God en Bijbel willen weten, zodat ik zinnige antwoorden kan geven. En zie wanneer ze overdrijft en zichzelf onnodige regels oplegt!'
De ouders kijken elkaar glimlachend aan en knikken. 'Wat de reden is, doet er niet toe. Je bent nooit te oud om te leren en van gedachten, van mening te veranderen. En als het Lucie Huizinga ten goede

komt, is het zeker de moeite waard,' zegt Flip.
'Wat ga je dan doen, Flip? Met die wijze man om de tafel zitten, zijn artikelen lezen? Vragen stellen die van een kind zouden kunnen komen? Je gaat jezelf toch niet belachelijk maken?'
Flip zegt erover te moeten nadenken. 'Ik ben wel toe aan een nieuwe studie. Iets op een ander vlak. Je hoort er nog wel van!'
Van verder praten komt die avond niets meer. De telefoon roept Annelies bij de les: een van haar cliënten is door een val in het ziekenhuis terechtgekomen. Ouders en artsen, noch de verpleegkundigen weten raad met de onredelijke angsten die het kind belagen. Annelies belooft meteen te komen, maar bedenkt dan dat ze een paar glazen wijn op heeft.
'We vragen Victor of hij je rijdt!' besluit Annie. 'Wij staan als het moet ook voor hem klaar. En kan hij niet, dan bellen we een taxi.'
Maar Victor kan wel en zegt even tijd nodig te hebben om zich te verkleden, want zoals hij er nu uitziet, durft hij de straat niet op.
Als Annelies de deur uit gaat, steekt Annie een arm door die van haar man, die het tweetal staat na te kijken. 'Ach, Flip, de ene vriend gaat, de andere komt. Is het ooit anders geweest?'
Flip sluit de zware voordeur en zegt op bezwerende toon: 'Ooit is er een die komt en niet gaat. Een die blijft... net als bij ons tweeën, liefste!'

Annelies peinst er niet over om een van haar nieuwe vrienden hun mening over het geloof te vragen. Ze is veel te bang om in de war te raken. Zoveel mensen, zoveel meningen. Ze gaat ervan uit dat ze allemaal een andere insteek hebben.
Omdat ze erover blijft denken, bijna tobben, neemt ze een kloek besluit. Op een avond, voor ze gaat slapen, vouwt ze haar handen, terwijl ze diep onder haar dekbed ligt weggedoken. Er wordt gezegd dat God je áltijd hoort, dus háár ook. Neemt ze aan. En dan bidt ze, bewust, voor de eerste keer in haar leven. 'Dag God!' Hm, dat klinkt

alsof ze elkaar al lang kennen. Kon ze zich maar een voorstelling van Hem maken. Nee, het voelt niet goed. 'Goedenavond, Here God!' Dat klinkt al beter, het 'Here' voegt iets toe. 'Ik vind het raar om met U te praten, omdat ik U niet ken. Ik wil één ding vragen: als U echt bent én wilt dat ik dat allemaal ga geloven, dan hoop ik dat U het mij duidelijk wilt maken, want eerlijk gezegd begrijp ik niet veel van wat mij is verteld. Hoewel ik niet bepaald dom ben.' Verder weet ze niets te bedenken. Of toch wel. 'Dan wacht ik daar maar op. O ja... amen!' Ze was bijna zoals in een brief geëindigd: 'Met vriendelijke groeten, Annelies.'
Het spreekt vanzelf dat ze er niet over peinst om wie dan ook van dit geheime gebed te vertellen!
Maar als Lucie Huizinga de eerstvolgende keer voor een sessie komt, bekijkt Annelies haar anders. Verleidelijk om het kind over haar geloof uit te horen.
Lucie knapt niet bepaald op, maar is wel tevreden met haar fantasievriendin. 'Zal ik je wat verklappen? Vroeger had ik Troetel, dat was een knuffel, en ik heb nooit een vriendin gehad waar ik zo gek mee was als met Troetel... maar als ik mijn papieren vriendin schrijf, is het of ik haar zie en dan ben ik dol op haar, meer dan ooit op Troetel! Denk je dat ik gestoord ben?'
Nee, dat denkt Annelies niet. 'Ik denk het tegenovergestelde. Ik denk dat jij juist heel erg slim bent. Misschien wel slimmer dan menig leeftijdgenootje. En je hebt ook veel fantasie. Want je beeldt je in dat je oerlelijk bent. En diep vanbinnen weet je dat je een normaal uiterlijk hebt. Dat kun jij je alleen inbeelden als je veel fantasie hebt, Lucie! Zeg, hoe heet de vriendin uit het schrift?'
Lucie bloost, het staat haar allerliefst. 'Ze heet een beetje net als jij. Annemarieke!'
Annelies zegt zich vereerd te voelen. 'Jammer dat je zo druk voor school bent, anders zou je een Annemarieke kunnen maken. Van stof en wol...'

Lucie knikt. 'Dat heb ik ook al eens bedacht. Maar dan lachen ze me thuis allemaal uit.'
Uit het verdere gesprek blijkt dat Lucie zich thuis momenteel nog ongelukkiger voelt. Er moet ruimte gemaakt worden voor de baby. Dat betekent dat ze haar kamertje moet delen met Lonnie, een jonger zusje. 'Mijn vader riep al dat hij wil verhuizen. Maar daar ziet mijn moeder tegen op. Was ik maar ouder, dan ging ik het huis uit. Als ik achttien ben, dan weet ik het wel. Helemaal alleen ergens wonen, net als jij. Zonder mensen die zich met me bemoeien.'
Het gaat Annelies te ver om het meisje bij zich thuis uit te nodigen. Had ze maar een vriendin, een tante of iemand anders die haar na staat. Ze is naarstig op zoek naar manieren om Lucie te leren om zichzelf te lachen. Soms lukt het een beetje.
Op een vel papier tekent ze een gezicht dat wel iets wegheeft van Lucie. 'Helaas kan ik niet zo goed tekenen als Eveline Schreurs. Zoals zij bijvoorbeeld paarden kan tekenen... daar moet je talent voor hebben.'
Lucie knikt heftig. 'Dat geloof ik ook. En daarbij ziet ze er ook zo snoezig uit... zo verzorgd en leuke kleren. En nog geen puistjes, zoals ik...'
Annelies draait de tekening zo dat Lucie hem goed kan bekijken. 'Ach, wat is ze lelijk...' zegt ze tegen het meisje en met een rood potlood voorziet ze het gezicht van vette puistjes. Op de neus, de kin, opzij van de ogen. 'En dan dat haar... alsof ze het nooit wast!' Vette strepen langs het gezicht, donkerbruin. En nog is ze niet tevreden. De mondhoeken moeten omlaag, de ogen een beetje scheel. Lucie schatert het uit. Annelies houdt de tekening naast het gezicht van haar cliënt. 'Sprekend, Lucie!'
Opeens begint Lucie te huilen. 'Je denkt dat je grappig bent, dat je me om de tuin kunt leiden, maar ik ken mezelf heus wel.' Ze maakt een prop van het papier en smijt het in de hoek van de kamer. Even zou Annelies het op een gillen willen zetten, heel onprofessioneel. Willen

roepen dat ze zich aanstelt en alleen maar de aandacht wil trekken. Meteen schaamt ze zich. 'Sinds wanneer kun jij niet meer tegen een grapje? Weet je wat, schrijf vanavond een brief aan Annemarieke. Die is het vast met je eens.'
Lucie vertelt snikkend dat ze op internet heeft gezocht en de afschuwelijkste dingen heeft gelezen. 'Een meisje spaarde en spaarde tot ze genoeg geld had om haar haakneus te laten opereren. Eindelijk mocht het, ze was oud genoeg en had het geld. Toen ze in de spiegel keek, schrok ze ontzettend. Ze was nog lelijker dan voor de operatie!'
Opnieuw maakt Annelies zich ernstige zorgen om Lucie. Toch maar medicatie? Of overgaan tot opname? Iets in haar protesteert tegen deze opties. Eerst nog maar eens met Annie overleggen, alleen komt ze er niet uit.

De winter verdwijnt op kousenvoeten en o zo langzaam. Af en toe is er een veelbelovende dag, maar doorgaans is het te koud voor de tijd van het jaar. Als dan eindelijk de zon met meer kracht aan de hemel staat, besluit Annelies het ervan te nemen. Op een ochtend heeft ze geen afspraken en omdat het werk voor het opvoedkundig bureau haar is ontnomen, heeft ze alle tijd voor zichzelf.
Ze pompt de banden van haar fiets op en besluit een ritje te maken. Ze kiest het schelpenpad dat dwars door de weilanden voert. Een zwoele wind streelt haar gezicht en even is ze bijna gelukkig. Zolang ze Ron maar niet hoeft te zien, lukt het steeds beter om haar gevoelens de baas te blijven.
Tot haar verbazing komt het schelpenpad vlak bij het huis van juffrouw Berkhout uit. Tante Ada, zo noemt Sigrid haar. Ze ziet de oud-schooljuf door de voortuin kuieren, in haar hand forsythiatakken. 'Goedemorgen!' roept Annelies en ze is van plan stug door te fietsen. Ze weet ondertussen hoe juffrouw Berkhout haar gasten vast kan houden met nog een kopje koffie en verse koekjes, zo van de bakplaat.

'Annelies! Stop eens, lieverd, goed dat ik je zie, want ik wilde je wat vragen!'
Annelies zucht, er is geen ontkomen aan. Ze remt af en zet beide voeten op de grond.
'Wil je een paar takken? Eigenlijk moet ik de struik snoeien, dus ik dacht: laat ik dan gelijk een paar mensen blij maken met deze lentebodenl!'
Een paar takken, dat wil Annelies best. Ze heeft er de juiste pul voor.
'Graag!'
Omdat het hout zich niet gemakkelijk laat breken, moet er een snoeischaar gehaald worden. 'Loop maar even mee, dan schenk ik eerst een kopje koffie in.'
Buiten zitten is nog te kil, maar de zon schijnt door de ramen van de erker en ook daar is het goed toeven.
'Heb je niet alle dagen cliënten, Annelies?'
Annelies legt uit hoe het systeem werkt en nee, zij en Ron hebben geen gezamenlijke plannen meer. Juffrouw Berkhout vraagt naar Lucie, ze ziet haar dagelijks voorbij fietsen. 'Krom als een hoepeltje zit ze op haar fiets en nóóit rijdt ze met de groep mee. Dat is helemaal fout, Annelies. Ik ben onderwijzeres geweest en weet zo het een en ander van kinderen, hoewel ik nooit een groep ouder dan zes jaar heb begeleid. Maar ik heb mijn ogen ooit in de zak gehad. Ik ken de familie Huizinga goed. De vader zit en zat in het schoolbestuur. En de moeder, Eke, die is zoals iedereen in het dorp weet, zo ziek geweest. En nu is ze zwanger. Als dat maar goed gaat. Enfin, niet mijn zaak. Maar Lucie... ik wou dat ik wat voor het kind kon doen. Ik heb daar in huis destijds geholpen de boel weer op orde te krijgen, toen Eke moest herstellen. Zodoende ken ik Lucie goed. Het huis wordt veel te vol daar. Ik heb even gedacht... maar misschien zeg jij: dwaasheid...'
Annelies veert op en zet haar lege kopje op de vensterbank in de erker tussen twee azalea's. Ze weet wat juffrouw Berkhout wil gaan zeggen.

'U wilt haar aanbieden een tijdje bij u te komen logeren, of heb ik het mis?'
Ada Berkhout krijgt van agitatie twee rode blosjes. 'Zeg, hoe wist je dat? Dat is inderdaad mijn plan. Ik bedoel maar: ik heb een vrije kamer, en wat zou ik dat meisje graag verwennen. Want ik weet als geen ander hoe het daar thuis gaat. Ik wil niets verkeerds over de ouders zeggen, maar het is duidelijk dat ze de kinderschaar niet altijd goed aankunnen. Peter is veel van huis, Eke moet alles opknappen en dan is het al gauw: "Lucie, laat je handen eens wapperen..." Logisch, maar nu het kind in de problemen zit, heeft ze een rustige omgeving nodig.'
Alsof juffrouw Berkhout in de rechtszaal staat en een pleidooi moet houden, zo erg is ze op dreef.
Annelies begint te stralen. 'Het zou weleens dé oplossing voor het kind kunnen zijn. Ze laat telkens weten dat ze graag ergens alleen zou willen wonen, en nu moet ze zelfs haar kamertje met Lonnie delen. En als ik het goed heb, is dat een druktemaker.'
Juffrouw Berkhout trekt een juffengezicht. Gaat rechtop zitten, voeten stijf naast elkaar en de handen ineengestrengeld op schoot. 'We zijn het eens. Maar hoe pakken we zoiets aan? Je wilt die ouders niet beledigen... de mensen in het dorp kletsen zo gauw dat er iets niet pluis zou kunnen zijn in dat gezin, begrijp je me? Maar wacht, de voorjaarsvakantie komt eraan en ik, oude vrouw, wil graag de boel aan kant hebben. Ouderwetse schoonmaak, ik zoek hulp! Haha! Een jonge meid die de matten kan helpen kloppen.'
Annelies krijgt nog een kopje koffie en zegt dat het op die manier best gebracht kan worden. 'Alleen Lucie hoeft er maar in te trappen. Want ik denk dat de ouders het een geweldige oplossing zouden vinden. Ze staan met de rug tegen de muur. Bovendien is verandering van omgeving voor Lucie geweldig. Zal ik het voor u in orde brengen? Misschien moet u haar een paar euro betalen voor de bewezen diensten. Voor de show!'

'Geen matten kloppen, ik zal haar leren koekjes bakken. Dat soort dingen. En breien. Dat schijnt weer in de mode te komen. Misschien heeft Lars ook wel een klusje voor haar.' Ada Berkhout klapt van puur genoegen in haar handen. O, wat is het heerlijk om nodig te zijn. Ooit dacht ze afgeschreven te zijn. En zie nu eens!
Met de belofte te bellen zodra ze het voor elkaar heeft, gaan ze uiteen. En als Annelies de winkelstraat in fietst, komt ze tot de ontdekking dat beiden de forsythiatakken zijn vergeten.

Annelies hoeft niet lang te wachten op het moment dat ze contact heeft met Eke. Sinds Lucie onder behandeling is, wordt Eke als een magneet naar Annelies getrokken. 'Ik moest even in de stad zijn en dacht: zien of je thuis bent. Ik kan toch moeilijk de boekwinkel bezoeken zonder te zien of je tijd hebt!' Een blozende Eke, zoals altijd nogal onverzorgd in haar uiterlijk, en het witte haar heeft ze in een paardenstaartje gevangen.
'Ik ben niet alleen thuis, maar ik heb ook nog eens tijd! Welkom, Eke. Kunnen we gelijk even bijpraten over Lucie.'
Eke laat zich maar wat graag in een stoel zakken. 'Als ik mezelf nu vergelijk met veertien jaar terug, toen ik zwanger was van Lucie... Wat een verschil, niemand zag wat aan me. Tot vlak voor de bevalling niet! En zo ging het door met alle andere zwangerschappen, tot Louk. Ja, toen voelde ik me echt zwanger vanaf het begin. En het herstel was ook niet om over te jubelen!'
Annelies leidt het gesprek in banen die ze al eerder bedacht heeft. Lucie, de baby. Een vol huis, twee meiden op één kamer. Nee, niet zo best voor Lucie. Die heeft privacy nodig!
Tja... uit huis plaatsen zou weleens een oplossing kunnen zijn. Maar belangrijk is ook dat ze niet vervreemdt van thuis én dat de school in beeld blijft.
Eke verzucht: 'Kenden we maar iemand die zich over haar wilde ontfermen... we kennen veel mensen, maar niemand zo goed dat we die

met ons probleem willen opzadelen!'
Even is ze stil, dan zegt Annelies: 'Ik wel, Eke!'
En dan is het verhaal snel verteld.
Eke is beduusd. 'Ik weet dat jij niet gelooft, maar voor mij is dit puur gebedsverhoring. Jawel, zelf hadden we het toch niet zo mooi uit kunnen denken! Juffrouw Berkhout... als je eens wist wat die allemaal voor ons heeft gedaan. En ze is destijds nog wel op een onplezierige manier van school weggegaan. Afgeschoven, te oud... jawel, ook mijn man Peter was keihard. En vlak meester Pelle niet uit! Maar het is goed gekomen, hoor. Iemand heeft hen attent gemaakt op hun fout en toen hebben ze rechtgezet wat mogelijk was. Ada Berkhout is een schat van een mens. En juist díe wil onze Lucie onder haar dak hebben!'
Haastig legt Annelies uit dat er een spel gespeeld moet worden.
'Dat doe ik wel,' zegt Eke. 'Lucie mag denken dat ze een vakantiebaantje aangeboden krijgt. Iets terugdoen voor juffrouw Berkhout die jullie in de nood heeft geholpen. Wie weet is juffrouw Berkhout als balsem op de wond!'

Met een boos gezichtje stapt Lucie enkele dagen later het pand aan de Marktstraat binnen. Het duurt deze keer nogal lang voor ze zich ontspant en antwoorden geeft van meer dan twee of drie woorden.
'Heb je op school ook biologie, leer je iets over planten?' vraagt Annelies.
'Volgend jaar, als ik overga.'
'Wij moesten vroeger op school determineren. Bloemen of takken meebrengen, de bloemen zo bekijken dat je wist hoe ze in elkaar zaten. Meeldraden, stampers, de soorten families. Ik moest eraan denken toen ik van de week langs het huis van juffrouw Berkhout fietste. Die heeft zulke mooie struiken!'
Dat is zelfs Lucie opgevallen. 'Van die gele dingen.'
Annelies knikt. 'Ik mocht takken meenemen, en wat denk je: na de

koffie hebben we er geen van tweeën meer aan gedacht. Sukkelig. Ach, die arme juffrouw Berkhout, ze wordt ouder, ze kan de boel niet meer goed schoon krijgen en een dagelijkse hulp wil ze nog niet. Nu zoekt ze een meisje dat in de voorjaarsvakantie wil helpen, tegen betaling...'
Lucie knikt, begint op haar stoel te draaien. 'Mij zal ze wel niet goed genoeg vinden. Jammer. Had ik best leuk gevonden... toen ze bij ons voor de kleintjes zorgde en soms kookte, hielp ik haar vaak.'
'Wat let je?' doet Annelies nonchalant. 'Ik denk dat ze jou, die ze kent, liever heeft dan een wildvreemd kind. Als ik jou was, zou ik op de terugweg even langs haar huis gaan en het vragen. Wil je dan gelijk zeggen dat ik dolgraag die takken wil hebben? Misschien kun jij die dan morgen, als je naar school gaat, voor me meebrengen?'
Een plan. Lucie maakt eigenlijk allang geen plannen meer. En nu gaat ze maar zo mee in een plan. 'Als ze me nu eens niet wil? Omdat ik... nou ja, omdat ik ben wie ik ben! Wie wil er nu de hele dag tegen mij aankijken?'
'Kijken? Je komt er om te helpen, niet om bekeken te worden!'
Daar moet ze om lachen. Lucie ziet het voor zich: zijzelf en juffrouw Berkhout op stoelen tegenover elkaar, en maar kijken naar de ander. 'Ik doe het. Weet je, Annelies, dat ik liever iets met mijn handen doe dan huiswerk maken?'
Annelies houdt de rest van het gesprek rustig, belt zodra Lucie is vertrokken juffrouw Berkhout. 'Ga maar vast op de uitkijk staan... desnoods gewapend met de takken die u me beloofd hebt!'

Nog geen drie kwartier later gaat de telefoon: Lucie is er met open ogen ingetrapt. Over logeren is nog niet gesproken, dat is vers twee. Juffrouw Berkhout is zich niet bewust van het feit dat Annelies die middag voor de tweede keer hetzelfde moet horen, al is het niet letterlijk hetzelfde verwoord: 'Wat is het goed om een plan te hebben!'
Die zit, denkt ze als ze naar haar appartement loopt. Een plan hebben

biedt openingen voor de toekomst. Een plan hoort niet bij gisteren, het verleden. Nee. Een plan hebben maakt dat je weer levenslust krijgt.

# 11

De lente is dit jaar een gulle gever. Zachtblauwe luchten, geuren die bedwelmen en bomen en struiken waar een groen waas bewijst dat de winter nu definitief voorbij is. Nieuw leven.
Ada Berkhout geniet van haar tuin en van alles wat daar groeit en bloeit. Ze zegent het feit dat ze de pensioengerechtigde leeftijd niet alleen heeft gehaald, maar ook dat ze goed gezond is. En zich opgenomen weet in de dorpsgemeenschap.
Genieten doet ze ook van haar huurder, Lars Schutte. Ze is van de jongeman gaan houden alsof het haar eigen zoon is. Iemand om voor te zorgen! Zorgen, dat zit in haar bloed. Als er een beroep op haar wordt gedaan, staat ze meteen klaar. Zoals nu met Lucie, die ze van kleins af aan heeft gekend. Begrijpen doet ze Lucies kwaal niet. Absoluut niet. Pubers kunnen problemen hebben, dat weet ze. En het zichzelf én de ouders erg moeilijk maken.
Ze weet niet precies wat Lucie mankeert. Het meisje lijkt zichzelf niet zo aantrekkelijk te vinden. Maar waarom niet? Lucie is wie ze is: een leuke, jonge meid. Goed van proportie, aardig gezichtje. Ze loopt er echter bij alsof ze een dodelijke kwaal heeft, gekromde rug, boze uitdrukking in de ogen. Ja, Ada kan geloven dat Lucies moeder, Eke, de wanhoop nabij is. Kortom: het is een zorgelijke zaak en Ada is dan ook vast van plan een steentje bij te dragen zodat het meisje er weer bovenop komt. Wat, een steentje? Als het aan haar ligt een heel gebergte!

Als Lucie op de eerste vakantiedag aarzelend het tuinpad op loopt, de fiets aan de hand, kan juffrouw Berkhout niet vermoeden wat er aan dit moment vooraf is gegaan. Weigering om te gaan, woede: ze wil zich liever verstoppen in de slaapkamer! De enige plek waar ze tot rust kan komen, wordt haar vandaag afgenomen. Want vanavond zet papa het bed van Lonnie naast dat van haar. Lonnie, die altijd haar zin

moet hebben, 's morgens erg vroeg wakker is en dan het hele huishouden wakker maakt met haar gezang. Van poesje mauw tot flarden van tophits en Bijbelliedjes. Bovendien heeft Lonnie bakken vol speelgoed. Barbies, verkleedkleren, spelletjes en prentenboeken. Ook haar poppenhuis zal een plekje moeten vinden. En dat alles omdat mama een kind krijgt. Lucie gruwt ervan.
Net als ze op het punt staat rechtsomkeert te maken, hoort ze haar naam roepen. Juffrouw Berkhout komt om de hoek van het huis aangestapt. Ze klapt in haar handen, gewoonte van een 'echte' schooljuf. 'Daar ben je dan! Geweldig, Lucie, om me zo uit de nood te helpen. Iedereen wil wel oud worden, maar niemand wil het zijn!'
Lucie snuift en trekt haar neus op. Oud, juffrouw Berkhout is nog niet echt oud, in haar ogen. Goed, ze heeft een bende rimpeltjes in haar gezicht, net het vel van een appeltje dat te lang op de fruitschaal heeft gelegen. En natuurlijk zijn de haren grijs, vanaf de wortels tot en met het knotje dat op haar achterhoofd heen en weer wiebelt. Maar ondanks dat alles straalt ze levendigheid uit.
'Zet je fiets maar achter het huis, kind. Dan gaan we door de keuken naar binnen. O, ik heb me toch veel te doen! En als je ouder wordt, krijg je last van je gewrichten. Kwestie van kraakbeen... dat hoort tussen je botten te zitten, als een soort smeerolie. Het begint te knerpen!' Ze schatert erom. Dus, denkt Lucie, zo'n vaart zal het wel niet lopen. 'Hang je jas maar aan de kapstok. Dan gaan we eerst koffiedrinken. Jij hebt zeker liever chocolademelk? Dat vind ik toch zo leuk om klaar te maken, weet je. Omdat ik het zelf nooit drink. Chocolademelk is voor mij: er is een kind in huis. Niet dat ik jou als een klein kind zie, zeker niet. Je bent al aardig op weg volwassen te worden. Zo, zoek maar een stoel. Dan roep ik Lars, die houdt zo van een warm bakje koffie. Misschien is Dennis er ook wel. Há! Daar is Lars al. Alleen, jammer. Dag jongen, goeiemorgen!'
Lars is ingelicht wat betreft Lucie. Hij maakt een buiging voor haar en steekt zijn hand uit. 'Lucie, fijn je te zien. En jij gaat tante Ada hel-

pen poetsen! Heb je wel een schort meegebracht?'
Lucie gniffelt. Een schort, kom nou.
'Pas op, meisje. Tante Ada lijkt een schat, ze propt je vol met koekjes en net zo veel kopjes koffie als je wilt, maar geloof me, ze is een slavendrijver. De zweep erover... Als ze te streng wordt, kom je maar bij mij uithuilen.'
Als dank voor zijn woorden krijgt hij een tik op zijn hoofd. 'Jij, schaam je! Roddelen over een oude vrouw. Lucie, geloof die jongen nooit, hij heeft te veel fantasie. Wij zullen het samen best goed kunnen vinden en Lars, die krijgt in het vervolg zout in zijn koffie in plaats van suiker!'
Knipogen over en weer.
Lars vertelt van alles over zijn bezigheden. Er staat een nieuwe cd op stapel. 'Al moet ik zeggen dat we wel zorgen hebben om Sigrid. Ze is al twee keer tijdens een repetitie onwel geworden. En Thijmen heeft gewaarschuwd dat ze misschien moet rusten. Hoge bloeddruk en nog meer vrouwenkwaaltjes. Kalm aan doen.'
Lucie denkt, bevreemd: en mama dan? Die moet voor een heel gezin zorgen... méér dan Sigrid Schreurs te doen heeft. Als de kinderen in bed liggen, is het nog niet klaar. Knielappen op de broeken van de jongens zetten, een was vouwen en nog veel meer.
Ada Berkhout vindt het ook een zorgelijke kwestie. 'Straks laat ze het op het laatste moment afweten en dat zit je pas goed in de narigheid. Zorg toch dat je op tijd een invaller vindt!'
Lars gaat verzitten en zegt dat hij allang iemand op het oog heeft. 'Het gaat om Annelies Bussink. Die meid heeft een stembereik, dat wil je niet geloven. En haar volume is zo uniek. Het probleem is dat ze het ten diepste ook wel zou willen, ware het niet, tante Ada, dat ze wat tegen de teksten heeft. Ze zegt het niet uit haar mond te kunnen krijgen, christelijke teksten ten gehore te brengen. Ooit, toen we haar pas kenden, heeft ze enthousiast een keer proefgezongen. Dennis en ik waren verrast. Maar we hadden toen Sigrid al. En later bleek dat

Annelies toch niet met het repertoire kon leven. Zo jammer!' Lars kijkt sip, lijkt het zich echt aan te trekken. Lucie luistert geboeid. Want zij kent Annelies vanuit een andere invalshoek.
'Konden we maar een list bedenken om haar over te halen!' Juffrouw Berkhout kijkt bepaald ondeugend, vindt Lucie, en ze helpt vlijtig meedenken.
Zou Annelies écht zo'n goeie stem hebben? Lars lijkt overtuigd. Na het derde kopje koffie klingelt de ouderwetse bel door de gang. 'Daar zul je je leerling hebben, Lars! Maakt ze al vorderingen?'
Lars drinkt haastig zijn kopje leeg en knikt. 'Ze studeert goed, prima kind! Tot straks.'
Lucie luistert naar de stem in de gang, misschien kent ze de leerling. Het is duidelijk een meisje. Lars neemt haar mee door de keuken naar zijn studio.
'Was dat Eveline Schreurs?' informeert Lucie jaloers.
Juffrouw Berkhout bevestigt de vraag en kwebbelt vrolijk door over Eveline.
Lucie laat zich ontvallen: 'Dat kind heeft ook alles. Ze zal in hun grote huis wel een geweldige kamer voor haar alleen hebben, ze ziet er leuk uit en ze hoeft maar te kikken of ze krijgt wat ze hebben wil. Een pony, tekenles, pianoles... Iedereen is dol op haar.'
Juffrouw Berkhout is met stomheid geslagen. Lucie, jaloers op een klein meisje? 'Nou, jij hebt anders ook niet te klagen, Lucie. Jullie huis is ook niet klein, maar ja, je moet het delen met je zusje en broers. En straks een baby'tje. Die komt later in de klas te zitten bij de kleine Schreurs. Zou jij ook pianoles willen hebben? En wat haar uiterlijk betreft: jij doet niet voor haar onder.'
Nu springen Lucie de tranen in de ogen. Waarom liegen volwassenen toch zo graag?
Ada Berkhout begrijpt meteen dat die laatste opmerking fout was. 'We zien er allemaal zo uit als God ons gewild heeft. Maar kom, meisje, daar praten we een andere keer weleens over. Nu moeten we

nodig aan het werk. Ik wil graag een paar cakes bakken die ik invries voor onverwacht bezoek. Zou je het erg vinden om daarmee te beginnen?'
Natuurlijk niet.
De keuken van juffrouw Berkhout is niet groot en een beetje ouderwets, maar wel efficiënt ingericht en heel erg schoon. Cake bakken, dat is wel wat anders dan matten kloppen en dekbedden naar buiten sjouwen om te luchten.
Schort om, jawel. Alle ingrediënten worden op een tafel uitgestald. Er volgt een deskundige uitleg, op schooljuffrouwenmanier. Lucie luistert geduldig en gaat aan de slag.
'Ik zing altijd als ik aan het bakken ben!' zegt juffrouw Berkhout. Je moet niet denken dat mijn repertoire niet groter is dan dat van de kleuters die ik vroeger onder mijn hoede had.' Even later galmt ze: 'Wil je wel geloven dat het groeien gaat... klein en ongelooflijk als een mosterdzaad! Dat daar is verborgen in de zwarte grond en waaruit een grote boom ontstond!'
Lucie schatert, zingt de laatste regel mee. 'Dat ken ik nog van vroeger. Van toen ik bij u in de groep zat!'
Het ene liedje haalt het andere uit en tegen de tijd dat de cakes in de oven aan het garen en geuren zijn, moet Lucie bekennen dat ze schor is. 'Eigenlijk zing ik nooit meer. Behalve in de kerk.'
Juffrouw Berkhout steekt te pas en te onpas een preek af, ook nu. 'Een mens kan niet genoeg zingen, Lucie. En dan het liefst liederen die God eren. Zie het zo: de Heer woont op onze lofprijs. Klinkt dat overdreven? Is het niet, want het staat in de Bijbel. En het merkwaardige is, Lucie, dat heel vaak je somberheid en verdriet op de loop gaan als je zingt. Omdat die niet van God zijn, is het alsof ze pootjes krijgen en van je wegvluchten. Probeer het maar!'
Lucie geeft geen antwoord, ze gelooft het amper. Maar een vrouw als juffrouw Berkhout, die spreek je natuurlijk niet tegen!

Ron Schutte heeft voor zijn opvoedkundig bureau op christelijke grondslag een nieuw onderkomen gevonden. Zijn zus Susan is hem te hulp geschoten toen ze merkte dat Ron maar niet vond waarnaar hij zo vlijtig op zoek was.
De boerderij is bijzonder ruim, beneden is niet alleen de woning van Susan en haar bioboer, de kinderopvang met toebehoren, nee, er is nog ongebruikte ruimte over. Nadat Ineke en Arjan de boerderij geërfd hadden en plannen maakten, was het de bedoeling dat zij 'later', als ze een partner gevonden hadden, beiden in de boerderij zouden blijven wonen. Twee gezinnen in één pand. Het is er niet van gekomen.
'De kamers zijn klaar, Ron. Op het moment zijn het logeervertrekken, zoals je weet. Ik heb Arjan al eens willen voorstellen om betalende logés te nemen. Daar is vraag naar. Maar jij, lieve broer, mag het voor een vriendenprijsje van ons huren. De locatie is misschien niet wat je voor ogen hebt – het huis aan de Marktstraat zou wat dat betreft beter geschikt zijn – maar om te starten is het vast wel wat. Per slot van rekening weet menigeen tegenwoordig de bioboerderij te vinden. Vanwege de verkoop van onze producten aan huis, of de mensen hebben een kind in de crèche of naschoolse.'
Ron is verrast. Het idee trekt hem wel. Een eigen ruimte, goedkoop ook. Alleen zo jammer dat hij het zonder Annelies moet stellen! Hij is er nog niet toe gekomen een vervanger te zoeken.
'Dat is dan voor elkaar,' zegt Susan. 'Ik zou zeggen: bekijk het allemaal, bespreek de rest maar met Arjan. Het enige nadeel is dat je bezoekers van de grote voordeur gebruik moeten maken.'
Susan kan het niet laten, Ron was er al bang voor. Annelies, natuurlijk begint ze over Annelies. 'Het is toch zo'n leuke meid, Ron. Zo warm... hartelijk ook. Ze kan zich in een ander mens inleven. Maar de laatste tijd kan ik geen contact met haar krijgen, zo vreemd is dat. Als ik bel om een afspraak te maken, houdt ze de boot af. En wanneer ik zijdelings probeer hints te geven zodat ik erachter kan komen waar-

óm ze niets wil... dan kapt ze het gesprek af. Weet jij er de vinger op te leggen? Ze was in het begin laaiend enthousiast over jullie samenwerking. Wat zeg ik: haar housewarming was gezellig tot en met. Ja, daarna is de verandering begonnen, dat vond Ineke ook al.'
Ron is er verlegen mee. Hij kan moeilijk met de waarheid op de proppen komen! Nooit zal hij vergeten hoe ze daar stond, na het feestje. Zijn jas in haar armen en het gezicht in de sjaal. Ontredderd toen ze hem gewaarwerd.
'Misschien is ze wat overspannen. En wil ze toch liever haar eigen gang blijven gaan. Ze doet het prima als therapeute. Uiteindelijk zou ze haar privépraktijk hebben moeten opgeven, want het is als twee heren dienen. Je kunt je tijd maar aan één object tegelijk geven. Wees niet ongerust, we zijn als vrienden uit elkaar gegaan.'
Het mocht wat... als vrienden. Als ze elkaar waar dan ook ontmoeten, weet Annelies niet hoe snel ze ervandoor moet gaan. Ja, haar schaduw, die neemt hij nog net waar. Misschien wordt het in de toekomst anders.
'Lars wil haar aan het zingen hebben, maar ze weigert en blijft bij haar standpunt. Het zou goed voor haar zijn, Susan, om naast haar werk een hobby te hebben.'
Susan is het met hem eens.
'Genoeg over Annelies,' besluit Ron dan. 'Ik kom er wel een keer achter. Laten we de benedenkamers bekijken en plannen maken!'

De cakes lukken goed, hoe kan het anders. En moeten ze dan nu aan de slag? Geen tijd. Eerst het eten koken. Aardappels schillen, fijn dat Lucie dat zo goed kan, de vingers van juffrouw Berkhout zijn aangedaan door artrose. Niet ernstig, maar toch soms lastig, zoals vandaag. Eveline komt even binnenwippen na de les. Haar wangen zijn roze gekleurd van opwinding. Het ging zó goed, Lars was tevreden. 'Wat doe jij hier, Lucie? Mag jij juffrouw Berkhout helpen? Dat zou ik ook wel willen! Maar u hebt zeker geen twee hulpen nodig...'

'Nee, meisje, Lucie en ik redden het wel samen,' zegt juffrouw Berkhout met een glimlach. Ze geeft Eveline een halve cake mee voor thuis. 'En de groeten aan je moe... ik bedoel Sigrid.'
Eveline trekt een lip. Moeder, wilde juffrouw Berkhout zeggen. Van haar moeder heeft ze al weken niets gehoord. Die Lucie boft toch maar, met een vader en een moeder. En straks, net als zij, een baby.
Haar gedachten vertalen zich naar haar gezichtje, het is raden wat er in het kind omgaat, maar Ada Berkhout kan het wel zo'n beetje invoelen. Ze loopt mee tot de voordeur om Eveline uit te zwaaien en concentreert zich daarna weer ten volle op haar logé.
'Wat gaan we vanmiddag doen, juffrouw Berkhout?'
'De kasten in de slaapkamers boven. De kamer waar Ron Schutte een tijd heeft gewoond, moet gepoetst, en ik begin altijd met de kasten. Terwijl ik een poosje rust, kun jij die uitpakken. Dan de planken soppen en er schoon papier op leggen. Daar ben je wel een tijdje druk mee!'
Aan het eind van de dag verzint ze allerhande redenen om Lucie vast te houden. Logeren, zodat ze morgenochtend meteen aan de slag kunnen! Na de avondboterham overvalt ze Lucie met haar plannen.
'Als je hier zou logeren, Lucie, dan konden we meer doen. Hoef je niet op de klok te kijken of je al weg moet. Zou je dat willen? Je doet er mij een plezier mee, dat begrijp je. Ik wil morgen zo graag het goede servies afwassen. En jij zou kunnen slapen in de kamer die je vanmiddag schoon hebt gemaakt!'
Lucie krijgt het er warm van. De kamer is klein maar o, zo gezellig! En natuurlijk schoon. Het bed is zelfs opgemaakt!
'Denk je dat je ouders het goed zouden vinden? Zal ik bellen, of doe je het liever zelf?'
'Naar u luisteren ze beter, denk ik!'
Alleen op de kamer slapen, niet luisteren naar de geluiden in huis, niet horen of papa de trap op komt, mama er vlak achteraan. En dan... niet aan denken. Niet aan denken. Niet...

'Ik bel!'
Natuurlijk vinden de ouders het goed. 'Je vader komt straks met de auto om een koffertje kleren te brengen. Kun je gelijk de schone kasten inrichten met je eigen kleren. Hij brengt ook je schoolboeken mee, voor het geval je nog huiswerk hebt.'
Lucie is stug tegen haar vader als hij quasi-opgewekt het huis binnenstapt. Ze wil roepen dat papa en mama niet de grote koffer hadden moeten gebruiken, ze gaat hier niet wónen! Voor een paar dagen zou wat kleding in een plastic tasje hebben gepast, toch?
Peter Huizinga woelt even door het haar van Lucie, een zoen wil ze allang niet meer van hem hebben.
Terwijl ze boven haar kleding in de kasten rangschikt, hoort ze haar vader en juffrouw Berkhout op zachte toon in de gang beneden praten. Het zal wel over haar gaan.
Als ze de gebloemde overgordijnen dichttrekt, gaat er een ongekende scheut vreugde door haar heen. Alleen slapen, geen kabaal van Lonnie of de broers, geen computerspelletjes, geen kinderfilmstemmetjes van de tv en geen serviesgerinkel uit de keuken.
Als ze de auto van haar vader hoort starten, gluurt ze tussen de gordijnen door om hem na te zien. Dacht ze al wel, papa gaat niet naar huis, hij rijdt richting stad. De een of andere vergadering zeker.
Juffrouw Berkhout roept haar. En maar al te graag geeft Lucie gehoor aan die stem!

De voorjaarsvakantie glijdt voorbij, tijd voor Lucie om haar koffer in te pakken? Maar het loopt anders. Daar is maar zo, als uit de lucht gevallen, het voorstel of ze een tijdje wil blijven logeren.
'Het is zo fijn om je bij me te hebben, Lucie, dan heb ik weer een doel. Iemand om voor te zorgen, weet je. Dat is wat ik het liefste wil. En je weet hoe Lars is... zo 'n druktemaker. Altijd met zijn muziek bezig, er zit geen rust in die jongen. Al houd ik veel van hem, hij is niet zulk prettig gezelschap als jij bent. Ik zou je kunnen helpen met

je huiswerk. En jij kunt op jouw beurt míj helpen in huis als ik een beetje moe ben. Zo helpen we elkaar.'
Lucie is verbijsterd. Logeren, voor langere tijd? Het was niet in haar opgekomen. 'Maar ik ben zo... de mensen vinden mij lastig en begrijpen me niet. Straks merkt u het ook, dat ik zo anders ben dan andere meisjes. En dan krijgt u schoon genoeg van mij! Alleen Lonnie, die zal blij zijn. Heeft ze meer ruimte.'
'Vraag is of je het wilt? Als je het leuk vindt, lieverd, hoef je alleen maar te knikken en ik maak het in orde met je ouders. Ken je het spreekwoord: de ene hand helpt de andere? Denk daar maar eens over na, en anders zoek je het op. Dan weet je precies wat ik bedoel!'

Maandagochtend: je klaarmaken voor school. Er helpt geen vadertje of moedertje aan! Naar school zal ze moeten. Juffrouw Berkhout, lief en gezellig, kent geen pardon en accepteert geen smoesjes. 'Als je thuiskomt, lieverd, zit ik klaar met thee en koekjes, zoals een heel ouderwetse moeder uit een ouderwets boek. Alsof we een toneelstuk opvoeren! Ik verheug me er al op!'
Wachten tot de sliert schoolkinderen is gepasseerd. Lucie treuzelt net zolang tot de kust vrij is, en dat doet het hart van de oude schooljuffrouw breken. Wat heeft ze het kind ook alweer geleerd? Zingen en God eer brengen als je somber wordt.
Ze voegt de daad bij het woord en terwijl haar handen in de keuken een sopje voor de vaat maken, jubelt ze het uit en zie, het helpt dat nare in haar hoofd en hart te verjagen! 'Lof zij de Heer, de almachtige koning der aarde...'
En Lars, die met de fiets in de hand langs het keukenraam kuiert, denkt: ze is vandaag al vroeg op dreef! En vanbinnen zingt hij mee.

## 12

Annelies zit achter haar bureau en schuift de afsprakenagenda van zich af. Ze voelt zich schuldig naar het kleine jongetje dat ze na een sessie naar zijn moeder in de wachtkamer terugbracht. Ze was er met haar hoofd niet bij. Nee, ze was niet alert zoals anders.
Het is of ze de grip op haar werk aan het verliezen is. Als er een afspraak wordt afgezegd, is er niet, zoals voorheen, irritatie. Eerder opluchting.
Ze zet haar ellebogen op het bureaublad en stopt haar hoofd in de handen. Ron. Het is allemaal gekomen doordat ze gevoelens voor Ron heeft toegelaten. En dat niet alleen, maar er ook eerlijk over was naar hem toe.
Een paar weken na de breuk begint ze in te zien dat Ron niet anders kon dan besluiten alleen verder te willen gaan. Helaas lukt het haar niet om de draad weer op te pakken en verder te gaan.
Erover praten met haar ouders wil ze absoluut niet. Ze moest toch zo nodig op eigen benen staan? Daarbij is ze bang voor hun oordeel. Al vanaf dat ze zich realiseerde wat het werk van haar ouders inhield, vreest ze dat ze haar en haar problemen als 'een geval' beoordelen en daarnaar handelen. Haar met de ogen van een psychiater bekijken.
Het is haar gevoel dat haar parten speelt. En dat terwijl ze haar cliënten leert dat gevoel beheersbaar is. Het gaat om hoe je met feiten en omstandigheden omgaat. Geneesheer, genees uzelf...
Er druppelen tranen tussen haar vingers door.
Neem nu Lucie Huizinga. Het meisje is ettelijke keren voor behandeling geweest. En het resultaat? Het kost de ouders alleen maar geld en opschieten doet de therapie niets. Lucies denken blijft in het gekozen spoor doordenderen. Ze is er niet van af te brengen.
Blindelings weet haar ene hand de doos tissues te vinden. Het is de omgekeerde wereld. Normaal is zij degene die de zakdoekjes uitdeelt.
Het huilen lucht op. Eén blik in haar agenda leert dat ze de rest van

de ochtend geen afspraken heeft. In de gang hoort ze haar moeder met een cliënt spreken. Tussen hun onderzoek en schrijfwerk maken ze ruimte voor noodgevallen. Zij, Annelies, beschouwt zichzelf bijna als een noodgeval!
De voordeur valt met een klap dicht. Voetstappen van Annie op de marmeren tegels in de gang. Bij haar deur stoppen ze even, aarzelen om verder te gaan. Nee, Annie zal haar dochter niet overlopen. Ze vervolgt haar weg, voetstappen op de trap. Als Annelies hulp wil hebben, zal ze er zelf om moeten vragen.
Helaas ís ze niet te helpen, althans: in haar eigen ogen. Maar er moet wat gebeuren, er moet wat veranderen.
Even komt ze in de verleiding Victor een bezoekje te brengen. Hij is altijd verheugd als hij haar ziet. Ze staat op, schuift haar stoel met een ruk achteruit zonder hem op de plaats teug te schuiven. Een blik in de spiegel doet haar schrikken. Een kam door het haar kan geen kwaad, maar brengt niet bepaald verbetering, en waar is haar lach, waar ze beroemd om is?
Het is alsof ze stikt. Lucht, frisse lucht. Ze schiet in een kort jasje en haast zich naar buiten. Tussen hun huis en dat van Victor is een smal steegje dat naar de achtertuin voert, waar een berging is. Even later sjokt ze met de fiets aan de hand naar de straat.
Langzaam rijdt ze de Marktstraat uit en kiest voor de kortste weg naar het fietspad. Juffrouw Berkhout, dat is haar doel. Ze wil eens informeren of de juffrouw succes heeft met Lucie. Zodat ze bij de volgende sessie daarop kan inspelen.
De winter is voorbij, dat kan niemand ontgaan. De winkeliers hebben de buitenbakken gevuld met narcissen of tulpen. Het is of de mensen die ze ziet opgewekter zijn. Gold dat ook maar voor haar.
Is het alleen Ron, het blauwtje dat ze heeft gelopen? Of zijn er nog andere dingen die haar parten spelen? Haar gevoel beïnvloeden? Waarom is ze niet sterker, zoals voor de avond van haar feestje?
Eenmaal buiten de bebouwde kom blijkt de wind fris. Het haar wap-

pert in de ogen, die ervan gaan tranen. Kijk nou toch, lammetjes in de weilanden. Vertederend. In de bermen bloeien paardenbloemen, gele stroken lijken bewust aangebrachte versieringen. De lucht is blauw, lenteblauw met hier en daar een klein wolkje. Een groep fanatieke wielrenners passeert haar in hun strakke pakken. Ze zoeven voorbij. De fruitbomen in de boomgaard van een boerderij zijn net bruiden. Witte bloesems.

Het huis van Juffrouw Berkhout komt in zicht. Annelies zou willen dat ze zelf ook zo afgelegen woonde. Kon ze op volle kracht huilen.

Ze remt af, fietsen op het tuinpaadje is niet te doen. Het grind ligt er zo dik op. Met de rug van haar hand veegt Annelies langs haar ogen en het kost moeite om een opgewekt gezicht op te zetten. Juffrouw Berkhout heeft een scherpe blik, voor je het weet heeft ze het voor elkaar haar aan het praten te krijgen.

Ze zet haar fiets tegen de muur en als op het bellen niet wordt opengedaan, besluit ze achterom te lopen. Met dit fraaie weer is juffrouw Berkhout vast buiten bezig.

Ze voelt aan de knop van de achterdeur. Die is open, maar op haar roepen verschijnt er geen juffrouw Berkhout.

'Dat is een verrassing. Ik was op weg naar jou!'

Annelies slaat haar hand voor de mond. De stem herkent ze meteen. Lars. Langzaam draait ze zich om. 'Jij... wat heb jij nou bij mij te zoeken. O, ik weet het al. Je wilt in therapie! Hm, je schat jezelf verkeerd in, want ik doe alleen de jeugd. Je zult dan toch mijn vader of moeder moeten opzoeken!' Ze hoort hoe hard ze klinkt, afwijzend en ook nog eens onvriendelijk. Helemaal niet als Annelies.

Lars is niet snel beledigd en hem op de kast jagen, dat lukt niet snel. Dan moet je het wel erg bont maken. Hij grijnst, in zijn wangen komen diepe gleuven en om zijn ogen rimpelt het. Ogen die nog donkerder zijn dan die van zijn broer Ron. 'Tante Ada is de hort op. Op haar e-bike. Gelokt door de lente, hoe klinkt dat? Net de titel voor een nieuwe song. Kom, ik heb je wat te vertellen!' Hij pakt haar

bij een hand en houdt die stevig vast. Ze wordt het tuinpaadje op getrokken, richting studio.
Annelies besluit toe te geven. Lars? Die kan ze wel baas. Hij is geen Ron.
'Zo, zitten jij. Ik heb de tuinstoelen voor de dag gehaald. En koffie. Tante Ada heeft voor ze vertrok een enorme thermosfles met koffie gezet. Jaja, tegenwoordig is ze voor mij ook tante Ada. Het "juffrouw Berkhout" werd te afstandelijk. Ze is ook als een familielid voor me. Wonderlijk hoe alles destijds is gelopen. Ik zocht oefenruimte, zij had een vervallen schuur in de aanbieding. Ik zocht onderdak, zij wilde graag een huisgenoot. Ja, dat is mooi voor ons geregeld. Alsjeblieft, een bakkie. Niets erin, toch? Kijk, dat heb ik goed onthouden. Ja, ik weet meer van je dan jij je realiseert. Zo weet ik dat jij een talent hebt waar je niets mee doet. Je zult van nature maar een stem hebben als Annelies Bussink. Als je een oude dame bent, Annelies, heb je spijt als haren op je hoofd – en je hebt er héél wat – dat je niets met die gave hebt gedaan.' Lars kijkt haar warm aan, over zijn koffiekopje heen.
'Opa!' schelt Annelies. 'Ik ben oud en wijs genoeg om zelf te bepalen wat ik wel en niet wil met mijn leven.'
Lars kijkt opeens ernstig, kijkt haar zwijgend aan. Alsof hij wéét. Zou Ron zijn mond voorbij hebben gepraat?
Annelies verschuift op de tuinstoel, die ongemakkelijk zit. Ze wantrouwt Lars. Wie weet hoe close de familie Schutte is? Ron heeft beloofd hun gesprek over haar gevoelens voor zich te houden. Toch lijkt het of Lars dwars door haar heen kijkt en kan raden wat hij niet hoort te weten.
Ze schraapt haar keel en schudt haar hoofd. 'Vergeefse moeite, Lars Schutte. Je weet dat ik niets heb met het soort muziek dat jullie prefereren. Ik zing nog liever... jazz? Dixieland? Hedendaagse toppers en voor mijn part smartlappen. Het voelt aan als bedrog als ik over God ga zingen. Misschien is het zelfs wel eh... zoals jullie het noemen: zondig. Zet een advertentie in het streekblaadje. Misschien woont

hier in de buurt sluimerend talent. Of je pikt er een uit het gospelkoor waar je dirigent van bent. Desnoods...' Ze krijgt het er warm van, de vlammen slaan haar uit. 'Waarom neem je de partij van Sigrid niet op, dan draai je die af terwijl jullie live zingen!'
Lars grinnikt, maar zijn ogen doen niet mee. 'Jij hebt ideeën, zeg. Ik heb je toch al een keer de kern van het evangelie uitgelegd. Je hoeft het er niet mee eens te zijn om het te kunnen zingen. Je bent het er toch ook niet mee oneens? Waarom doe je zo moeilijk?'
Het wordt Annelies te veel. Ze smakt haar lege koffiemok op het tafeltje en kan niet verhinderen dat de tranen over haar wangen biggelen. Het is de manier waarop Lars kijkt. Een beetje als Ron, maar toch ook weer niet helemaal.
Lars fronst zijn wenkbrauwen, zijn gedachten razen langs het gevoerde gesprekje. Nee, er is niets gezegd dat het verdriet van Annelies rechtvaardigt. Hij staat op en hurkt bij haar neer. 'Ach meisje, wat is dat nou opeens. Zo ken ik je niet. Wat scheelt eraan? Je bent toch niet ziek? Moeilijkheden in je werk?' Hij duwt haar een zakdoek in de vingers, in de hoop dat deze schoon genoeg is.
'Ach... ik stel ook iedereen teleur. Ik wil graag zingen, Lars. Maar ik kan het met mijn geweten niet overeenkomen om dingen te zingen die mensen ontroeren en mij niets doen. Ik ken de begrippen niet: zonde, vergeving, bloed van Jezus, eeuwig leven en nog véél meer. Het zijn woorden voor mij. Jij hebt een relatie met Hem. Net als...' Ze buigt haar hoofd en fluistert: 'Ron. Net als Ron.'
Lars legt zijn handen op haar knieën, geeft er een kneepje in, het maakt dat ze hem aankijkt. 'Daar wringt de schoen. Het gaat niet alleen om de teksten van de liederen, het feit dat je gebroken hebt met mijn broer om die ene reden... dat zit je dwars!'
Annelies hapt naar adem. Die ene reden, jawel! Heeft Ron toch gekletst? Ze buigt haar hoofd, ze schaamt zich én ze is woedend. In plaats van dat te verwoorden, stromen de tranen nog harder.
Lars gaat weer staan en trekt haar uit de stoel. 'Zo gaat dat niet lan-

ger... Kom, we gaan naar binnen, dan poets ik je gezicht schoon. En misschien is het juist wel goed dat jij je even laat gaan. Ik dacht weleens: die uitbundige lach van Annelies, is die wel oprecht?'
Met een arm rond haar schouders voert hij haar de studio in, tot daar waar achter een scherm een keukentje is gerealiseerd. Met onverwachte tederheid bet hij haar gezicht met een theedoek. 'Een glas water wil ook nog weleens wonderen doen. Kom op...'
In plaats van de altijd opgewekte kindertherapeute is ze nu zelf een soort 'geval', vindt ze. En Lars als therapeut?
'Ik wist niet dat Ron... hij had er niet over moeten praten!' zegt ze schor. 'Hij had het zo beloofd, weet je. Ik schaam me ziek.'
Lars schudt haar zacht door elkaar. 'Kom, dat is overdreven! Wat ben jij streng voor jezelf! Niks om je voor te schamen. Jullie zijn simpelweg verschillend van opvatting. Ron is een prima vent, maar ik geloof dat hij sowieso beter alleen kan werken dan met iemand samen. Bovendien is hij nogal... hoe moet ik het zeggen? Vroeger zouden mensen gezegd hebben: streng in de leer. Begrijp je me? Hij is consequent, ook in geloofskwesties. Nogal zwart-wit. Ik geloof best dat hij je pijn heeft gedaan met de reden van jullie werkbeëindiging. Hij wil per se een bureau met christelijke grondslag. Of dat nog van deze tijd is?'
Annelies hapt naar adem. Ze leunt nog lichtjes tegen Lars aan, wat ze ervaart is pure opluchting, maar ook uitputting. Gebroken met Ron om die éne reden. Wat een misverstand! Ze begint nerveus te giechelen. Gebroken... alsof het over een verkering gaat. Lars denkt dat ze kapot is van het verbreken van hun werkverband, niets anders.
Hij legt zijn handen op haar schouders en houdt haar een stukje van zich af, bekijkt haar gezicht met ernstige ogen. Ze ziet hem denken. Heeft ze zichzelf nu te veel in de kaart laten kijken? Hoe dat recht te zetten?
Ze begint te ratelen over haar werk, dat van haar ouders, die nadat ze bevoegd was de hulpaanvragen van jeugd met problemen op haar

bureau hebben gelegd. O ja, ze heeft haar handen vol. 'Maar met Ron kon ik prima samenwerken,' besluit ze.
Lars schudt langzaam zijn hoofd en denkt er het zijne van. 'Jij bent een kanjer.' Dan zoent hij haar pardoes op de mond. Ze schrikken er beiden van.
'Moet kunnen, onder vrienden. Want al wil je niet zingen, we zijn wel vrienden en dat blijven we!' zegt Lars bedaard.
'Ik wil wel zingen, maar niet dát!'
Lars legt een hand over haar mond. 'We praten er nu niet verder over. Ik ben een geduldige kerel die weet wat wachten is. Je vindt het misschien vreemd, maar ik weet diep vanbinnen zeker dat jij ooit mijn zangeres wordt!'
Als op dat moment niet het specifieke lachje van juffrouw Berkhout had geklonken, was er een nieuwe en misschien nog fellere woordenwisseling losgebarsten. 'Ik dacht al, die fiets heb ik eerder gezien! Komen jullie binnen voor koffie?'
Lars kreunt en wrijft over zijn buik. 'Eentje dan, tante Ada.' Hij pakt Annelies bij een hand, dwingt haar hem aan te zien. Hij schudt zijn hoofd. 'Niets meer van te zien. Misschien een kam door je haar?'
In de keuken hangt een gebarsten spiegeltje. Lars duwt een kammetje met gebroken tanden in haar hand. 'Op naar de koffie.'

Lars drinkt één kopje mee en is dan snel verdwenen, en even later dringen zware basgeluiden door tot de woonkamer van juffrouw Berkhout. 'Vreemd, meestal maakt hij niet zo veel herrie! Niet dat ik me eraan stoor, hoor. Van Lars kan ik veel hebben.'
Natuurlijk komt het gesprek op Lucie Huizinga.
Juffrouw Berkhout zegt tevreden te zijn. 'Ik help haar met het huiswerk en wat denk je: ik heb haar dagboek mogen lezen. Omdat, zegt ze, het hardop uitspreken moeilijker is, en ze vindt het goed dat ik op de hoogte ben van haar kwaal. Ze heeft zelfs op internet van alles voor me opgezocht en wat ben ik daarvan geschrokken! Dat kind zit

met méér problemen dan haar zogenaamd “walgelijk” uiterlijk. Het is een samenvallen van allerlei symptomen en sommige zullen spontaan verdwijnen. Het uit huis zijn doet haar goed. En ook de moeder! Wel vind ik dat Peter Huizinga zich meer met zijn gezin moet bemoeien. Maar dat is niets nieuws. Ik heb nog een tip voor je wat betreft Lucie: je moet zien dat je haar aan het lachen maakt als het om haar ingebeelde lelijkheid gaat. Met haar verstand wéét ze dat het verzinsels zijn. Maar er zit een motortje achter dat de boel draaiende houdt.’

Annelies luistert aandachtig en verwondert zich over de wijsheid van juffrouw Berkhout.

En ja, ze heeft nóg een tip. ‘Die baby komt in het najaar, Annelies. Je moet zien dat ze zich daarvoor gaat interesseren. Een kindje in de wieg is een enorme afleiding. Bovendien zal Eke haar af en toe nodig hebben. Maar Lucie griezelt van een ongeboren kind in een moederbuik, en vooral over het ontstaan ervan. Opeens realiseert ze zich dat haar ouders dingen hebben gedaan die in haar ogen onzuiver zijn. Je zou toch zeggen: ze is voorgelicht. Maar wat is er goed doorgedrongen en wat heeft ze van zich af laten glijden? Verdringing, is het dat? En voordat je met een mooi verhaal over liefde en voortplanting kunt beginnen, moeten die oude ideeën afgebroken worden. Zo werken die dingen. Op oude troep kun je geen verse begrippen planten. Nog een kopje koffie?’

Annelies grinnikt als haar kopje gevuld wordt. ‘Van u kan ik veel leren. Ik ben haast schor van het luisteren!’

Tijdens het ritje terug gaat er van alles door Annelies heen. Lars, zijn warme reactie toen ze het even niet meer zag zitten, en dan het misverstand en die zoen!

Gebroken met Ron. Er viel niets anders te verbreken dan het werkverband en zij, domoor die ze was, dacht aan een relatie die nooit is geweest. Ron, hij heeft toch woord gehouden.

Ten diepste zou ze Lars graag het plezier doen en zich aanbieden als zangeres. Maar de stap is te groot.

Als ze thuiskomt, vindt ze zoals altijd de post op de trap. Terwijl ze naar boven loopt, bladert ze door het stapeltje. Een paar vakantiekaarten van bijna vergeten vrienden, rekeningen, bankafschriften en een uitnodiging. Van Victor. Nee, niet voor zijn zaak, dat zou hij wel willen!
De housewarming bij Annelies was zo gezellig, dat hij het wil nadoen. Per slot van rekening is de stacaravan zijn voorlopige nieuwe huis. Annelies schudt haar hoofd. Hoe denkt hij dat te doen? Hoeveel mensen kan hij tegelijk ontvangen? Eerst maar eens informeren hoe hij dat voor ogen heeft. Bovendien heeft Annelies absoluut geen zin om een hele avond tussen de wederzijdse vrienden te zitten. De Schuttes... Jammer dan.
Als ze later op de dag door de boekwinkel loopt om een paar tijdschriften te kopen, houdt Thijmen haar aan. Of ze ook een uitnodiging van Victor heeft gekregen? 'Je moet weten, Annelies, dat Sigrid toen ze in de stacaravan woonde, ook een inwijdingsfeestje heeft gehouden. Te klein? Daar hebben ze destijds een oplossing voor gevonden. Er werd een tentdoek gespannen tussen de caravan en de dichtstbijzijnde schuur. Een overdekte ruimte dus. Ik herinner me dat het erg gezellig was. En nee, Sigrid en ik hadden toen nog niets met elkaar. De band van Lars zal wel voor goede muziek zorgen en voor zover ik Victor heb leren kennen, zit het met de catering ook wel goed. Het is alleen hopen op droog weer!'
Annelies vindt dat het allemaal aantrekkelijk klinkt, maar zin om te gaan heeft ze niet. 'Ik zie nog wel. Dat Victor tijd heeft voor zulke grapjes verbaast me!'
Ze rekent haar tijdschriften af, vraagt en passant hoe het met Sigrid gaat. Thijmen kijkt opeens bezorgd. 'Ik ben bang dat ze vandaag of morgen het bevel krijgt te gaan liggen. Ze is dan wel over de helft en

met de baby gaat het goed, gelukkig, voor zover dat te weten is. Maar haar bloeddruk is verontrustend. Afwachten!'
Annelies belooft een keer langs te gaan, als Thijmen zegt dat ze best wat afleiding kan gebruiken.
Terug op de bovenverdieping zet Annelies een pot thee en even later zit ze op de bank, verdiept in haar lectuur. Maar in haar hoofd zit een zeurderig stemmetje dat zich niet het zwijgen laat opleggen. Sigrid heeft hoge bloeddruk, moet misschien plat. Tot de baby er is. Rusten, en als je zangeres bent, valt er niets te rusten.
'Néé!' roept ze en mept met een tijdschrift tevergeefs naar een vlieg die hinderlijk aanwezig is.
Waarom maakt ze zich zo druk om het aanhoudende gevraag van Lars? Nee is toch nee? Voelt ze zich dan schuldig? Of is het de manier waarop Lars haar benadert, zodat ze bijna niet anders kan dan toestemmen?
Pats, de vlieg is wijlen.
Kon ze haar gedachten ook maar op die manier behandelen! Een flinke mep en het is over en uit.
De theepot is zo goed als leeg en Annelies is niet langer in de stemming om te lezen. Ze hijst zich overeind en besluit haar mails te checken. Het is een manier om haar aandacht om te buigen. Een manier om Lars en zijn muziek naar de achtergrond te schuiven, waar ze thuishoren. Per slot van rekening is haar 'nee' altijd nog niets anders geweest dan het is: nee. Luid en duidelijk.

# 13

Annelies is meer dan nieuwsgierig om van Lucie te horen hoe ze het wonen bij juffrouw Berkhout ervaart. Precies op de afgesproken tijd meldt het meisje zich op het kantoor aan de Marktstraat. Annelies ziet meteen een subtiele verandering. 'Het lijkt of jij in het nieuw bent gestoken, Lucie!'
Lucie hangt haar jack in de garderobekast en haast zich te vertellen dat het komt doordat ze zo is gegroeid. 'Echt, Annelies, ik paste niet meer in de zomerkleren die vorig jaar nog te ruim waren. Gelukkig ontdekte mijn vader het ook... ik ben met tante Ada wezen winkelen. Nou, dat was niet gemakkelijk!'
Annelies neemt haar mee naar het kantoor en wijst op de bezoekersstoel. 'Vertel! Ik kan me er wel wat bij voorstellen, hoor!'
Ze lachen saamhorig.
'Nou, we gingen natuurlijk op de fiets. Tante Ada rijdt geen auto, maar met haar e-bike kan ze goed overweg. Ze sjeest vlak voor auto's langs. Het ging allemaal goed. Ik mocht zeggen welke winkel ik het liefst in wilde. Ze pakte een stoel en zei, met dat aparte lachje van haar: "De modeshow kan beginnen!" De verkoopster dacht dat ze mijn oma was, ik heb haar maar niet wijzer gemaakt. Eerst de broeken, dat ging tamelijk vlot, maar toen begon het...' Lucie lijkt voor even verlost te zijn van haar complex en doet uitvoerig verslag over de reactie van juffrouw Berkhout. De shirtjes waren te bloot, te laag uitgesneden. Te krap, ze tekenden te veel af! De truitjes en vestjes vond ze te kort. Laagjes over elkaar? Als je meteen iets uitzoekt dat past, ben je in één keer klaar. Mode? Is dat in de mode?
'En toen kwam er een meisje binnen met de moeder én een oma. De oma ging naast tante Ada zitten. Ze waren al gauw aan het kwebbelen. Ze hadden het over de leuke jurkjes uit de jaren vijftig, de petticoats, nylons, sjaaltjes en dat soort dingen. De moeder van het meisje was heel aardig en hielp mij ook een beetje met uitzoeken. En nu

moet ik iets zeggen wat heel raar klinkt, Annelies, maar je moet me beloven dat je niet denkt dat ik... nou ja, dat ik veranderd ben of zoiets. Kijk, we waren daar druk bezig met kleren, die oma's, zal ik maar zeggen, en dat meisje met haar moeder. De verkoopster sprong ook om ons heen. En toen ik in de paskamer bezig was, kwam dat meisje er ook bij en vroeg of ik vond dat de broek die ze aanhad wel goed stond. Ze dacht dat ze er te dik in leek... nou, ze was mager als een lat. Echt waar. Maar ik lachte haar niet uit, hoor. Ik zei dingen zoals: draai je dan eens om, zit-ie lekker? En op dat moment, Annelies, was ik even vergeten dat ik er zelf niet uitzie. We keken elkaar aan in de spiegel en begonnen gelijk te lachen, eigenlijk nergens om. Enfin... ik wilde alleen maar zeggen dat het zo'n fijn gevoel was!'

Annelies krijgt tranen in haar ogen. 'Wel, Lucie, ik vind dat een positieve ervaring. Een ervaring die je moet onthouden en opschrijven in je schrift. Vertel eens wat je nog meer hebt gekocht?'

Lucie praat verder. Het lijkt net alsof er een gewoon meisje zit, dat belangstelling heeft voor kleding. Maar als Annelies vraagt hoe de reactie van haar moeder was, versombert het meisje weer. Ze haalt haar schouders op, zegt het niet meer te weten. En nee, ze wil liever nog niet naar huis. 'Toen ik even thuis was, vond ik het er naar. De jongens maakten ruzie en Lonnie zat op te scheppen over haar kamer, die eigenlijk van mij is. Ik was blij toen ik weer op de fiets zat. Bij tante Ada is het zo rustig, ze luistert altijd naar mij en als ik uit school kom, zit ze met thee of fris op me te wachten. Ze helpt me ook met huiswerk. Ik was best achter gekomen. Zoals zij alles uitlegt... mijn cijfers zijn vooruitgegaan. Ik denk eigenlijk dat ik wel overga.'

Annelies zegt nogmaals dat het positieve berichten zijn. Toch wil ze een lans voor Eke breken. 'Het zal voor je moeder allemaal niet meevallen, Lucie. Ik denk dat ze maar wat graag van alles en nog wat met haar oudste dochter, met jou dus, wil bepraten! Jou betrekken in alles wat met het nieuwe kindje te maken heeft.'

Lucie blaast haar wangen bol. Ze zoekt naar woorden om haar gedrag te verdedigen.
Annelies hoort haar aan, zegt dan dat een zwangerschap, als je niet meer zó jong bent, zwaarder is.
Lucie barst uit: 'Niet één van de moeders van de meisjes uit mijn klas is in verwachting. Ik vind het zo... zo... Ik schaam me dood.' Ze steekt haar tong uit.
Annelies blijft kalm. 'Toch is het de normaalste zaak van de wereld, meisje. Het is een bewijs dat je ouders van elkaar houden, dat is toch mooi? Of denk jij dat gemeenschap tussen man en vrouw alleen voor jonge mensen is weggelegd? Ik las onlangs in de krant dat een man van zesennegentig nog vader was geworden!'
Lucie valt nog net niet van haar stoel. 'De viezerd!' Het is eruit voor ze het zich realiseert, maar het maakt voor Annelies veel duidelijk en ze vraagt zich af of de afkeer die Lucie heeft van de lichamelijke kant van het huwelijk, iets te maken heeft met haar complex. Via allerlei gedachtekronkels is het goed mogelijk.
Of Lucie zelf weleens verliefd is geweest?
Met horten en stoten komen er allerlei bekentenissen op tafel. Wat ze ervaren heeft, of haar gedachten wel de juiste waren, de gesprekken met meisjes uit de klas, de jongens die zich zo anders gedragen dan toen ze op de basisschool zaten... achter de meiden aan zitten en je onverwacht aanraken op plekken die je niet wilt. 'En er zijn meisjes die een kliekje vormen. Ze praten altijd en alleen over jongens. Over wat ze uitspoken als ze er de kans voor krijgen. En dan lachen ze geheimzinnig.'
En nee, met haar moeder praat ze nooit over dit soort dingen. 'In de eerste plaats heeft mama nooit tijd om met mij te praten. Of Lonnie komt zeuren, Louk kan ook zo drammen. En al gauw zegt mama dan: "We praten later wel verder." Nou, dat later betekent dus nooit. Maar dat geeft niet, hoor. Ik vind haar een beetje dom soms. En ook schaam ik me weleens voor mijn moeder. Als ze er zo slordig uitziet. Het haar

zit altijd raar, en nu, met die dikke buik...'
Opeens zijn er tranen. Vertelt ze tante Ada ook weleens over al die dingen?
Lucie schudt wild met haar hoofd. 'Stel je voor, die is nooit getrouwd... wat weet die van mannen? En baby's... ze krijgt al een rood hoofd als iemand op tv zich uitkleedt. Maar voor de rest is ze best modern, hoor, met haar fiets en zoals ze met Lars omgaat! Echt wel cool.'
Annelies probeert haar eigen puberteit boven water te halen, wat niet meevalt. Het spijt haar als het uur om is, het ging te vlug. Lucie was goed op dreef!
Voor ze weggaat, denkt Annelies haar nog een tip te moeten geven. 'Wat nog weleens wil helpen, Lucie, is het volgende. Ik probeer het zelf ook vaak uit. Stel, je bent het niet eens met iemand. Je zou je eigen mening luidkeels willen verkondingen en die ander het zwijgen opleggen. Als jij je op zo'n moment probeert te verplaatsen in die ander, héél even in zijn huid kruipt, door zijn ogen kijkt... dan lukt het nog weleens om anders te gaan denken. Bijvoorbeeld je moeder. Ik mag Eke graag. En zij houdt van jou. Jullie hebben een verschil van mening en het liefst zou jij boos de deur uit willen rennen.'
Lucie kleurt. Knikt verlegen. 'Gebeurt weleens.'
'Goed! Op het moment dat je de hand op de deurknop legt, blijf je even staan, kijk je naar je moeder en probeert je in haar te verplaatsen. Kijkt door haar ogen. Wat zien die? Haar kind dat van haar wegloopt, misschien heeft ze wel gelijk... o, ze wil het kind knuffelen en iets liefs zeggen. En dan: je bent terug in je eigen lichaam. Maar je hebt wat geleerd. Even afstand genomen van Lucie en dat wat ze wil, er is ruimte gekomen. Je zult dan anders reageren. Misschien zeg je dat je weggaat, maar snel terug bent, of je gaat helemaal niet weg en je lacht naar je mam. Kijk, ik verzin dit nu, het kan ook anders. Weet je wat, bedenk, als huiswerk, maar een paar situaties waarin die houding zou kunnen werken. Een vervelend kind uit je klas, een leraar

die onredelijk is...'
Lucie kan het amper volgen. 'Maar je hoeft toch niet altijd de minste te zijn... Ik bedoel: waarom zou mama niet even in míjn huid kruipen?'
Annelies grinnikt. 'Dan pas wordt de wereld mooi, Lucie. Als we allemááI zo tegenover elkaar gaan staan, de ander ruimte geven, dan verandert er echt wat. Weet je, ik ga het deze week nog meer op mezelf toepassen. Ik vind dat we vandaag fijn gepraat hebben, Lucie! Vergeet niet juffrouw Berkhout de hartelijke groeten te doen.'
Als Annelies de wegfietsende Lucie in haar nieuwe jack nakijkt, denkt ze: wat is het een leuke meid om te zien. Hoe zou het zijn om een dochter te hebben?
'Sta jij midden op de dag niets te doen, buurvrouw?' Dat is Victor, die naar een geparkeerde bestelwagen toe loopt. 'Je mag me helpen sjouwen!'
Annelies drentelt naar hem toe.
De chauffeur van de bestelwagen laat de laadklep zakken en springt in de auto, waar hij een steekwagen naar buiten trekt.
Victor wrijft in zijn handen van plezier. 'Kijk, Annelies, die man komt mijn meubels brengen. Dat wil zeggen: de eerste partij. Je mag binnen wel even kijken hoe ik ben opgeschoten!'
Waarom niet.
Er zijn werklui met de afwerking bezig. In de hoek van de gang staat een radio te blèren en een man in een witte overall fluit nogal vals mee met de melodie, voor zover je van een melodie kunt spreken.
Annelies is verrast. Er komt tekening in het geheel. Wandlampen geven een beschaafde sfeer, een elektricien loopt mompelend door de ruimte, praat tegen zichzelf. Moppert tegen een bos stroomdraad dat hij in zijn handen houdt. Zo komt het over. Annelies duikt opzij, ze staat hier duidelijk hardwerkende mensen in de weg.
Victor dirigeert de man van de bestelwagen door het pand.
Annelies denkt: als ik het hier voor het zeggen had, ging als eerste die

radio uit. Men kan elkaar amper verstaan en als jij je verstaanbaar wilt maken, moet je schreeuwen.
De bezorger houdt Victor een klembord onder de neus, hij zet een handtekening en even later vervolgt de bestelwagen zijn weg. 'Kom even mee naar mijn kantoor, Annelies. Daar is het rustiger. De laatste dagen is het hier een gekkenhuis. Alsof alles tegelijk moet gebeuren. Maar het komt goed.'
Annelies bewondert het interieur van het kantoor.
Victor glimlacht. 'Alles doet het, de computer, printer, fax, noem maar op. En kijk, zo gaan de menukaarten eruitzien. Nog even en dan is het zover! Ik heb een vraagje aan jou...'
Annelies laat zich in een comfortabel stoeltje vallen. Het is opvallend hoe rustig het hier is, de geluiden vanuit de toekomstige eetzaal dringen niet door de muren heen. Goed vindt ze dat.
Victor gaat op de punt van zijn bureau zitten. 'Je zult wel denken: wat haalt die kerel zich allemaal aan. Maar zo ben ik nu eenmaal, een kaars die aan twee kanten brandt. Ik bedoel: hier zit ik te ploeteren en ondanks dat organiseer ik een feestje in de stacaravan. Die noemen ze daar het paleis. Ik heb wat adviezen nodig. Er wordt een soort overkapping gemaakt van de caravan tot aan de schuur. Van die statafels waar mensen hun drankje en hapje even uit de hand kunnen zetten. Niet te veel zitplaatsen, ze moeten lekker rond kunnen drentelen. Kijk, de catering is zo voor elkaar. Maar er zijn nog wat puntjes... ik moet de boel versieren. Dus ik zocht Sigrid Schreurs op, die heeft precies zo'n feestje al eens gegeven toen ze in de stacaravan woonde. Maar dat weet je waarschijnlijk al.'
Een tik op de deur, de elektricien heeft een probleempje en Victor zegt met twee minuten bij hem te zijn.
'Ik dus naar Sigrid, en wat denk je? Ze ligt in het ziekenhuis. Vanwege de zwangerschap. Het bleek achteraf mee te vallen, maar ze houden haar toch een dag of wat. Zodoende klop ik bij jou aan. Help me iets te bedenken wat ik de gasten na afloop mee naar huis kan geven. Een

attentie, niet overdreven, niet te duur maar origineel.'
Annelies schrikt: Sigrid die is opgenomen. Ze neemt zich voor direct te gaan informeren hoe het ervoor staat. Ze staat op en belooft hem te zullen helpen. 'Ik zal mijn gedachten over je vraag laten gaan. Misschien vinden we wat op internet of gewoon in een winkel hier in de buurt. En ik denk dat ze op de boerderij wel versieringen hebben, omdat daar wel vaker iets te vieren valt. Zo niet, dan moet Thijmen zijn spul maar weer van zolder halen!'
Victor geeft Annelies vriendschappelijk een klopje op een schouder. 'Gaat het wel goed met mijn sympathieke buurvrouw? Als je een schouder nodig hebt... Je kijkt maar.'
'Jij moet naar de man van de stroom!' Annelies krijgt haast, ze is ongerust over Sigrid. En ze geneert zich dat dit vermengd is met een beetje eigenbelang.

Gelijk met Thijmen arriveert ze op het terrein achter de winkel. Thijmens gezicht staat gespannen, hij ziet Annelies pas als ze zijn naam noemt. 'Hoe is het met Sigrid, Thijmen?'
Thijmen houdt zijn pas in. 'Schrikken, het was ontzettend schrikken, ze verloor wat bloed.'
Annelies knikt, maar wat weet zij nu van zwangerschappen? Ze heeft zich er nog nooit in verdiept. Ja, van Susan heeft ze van alles gehoord over de bevalling van Derk-Jan. En dat de roze wolk niet altijd even mooi is, weet ze daardoor ook.
Thijmen rimpelt zijn voorhoofd. 'We waren zo bang. We hebben ons zo op dit kindje verheugd, logisch toch? Enfin, dat bloedverlies blijkt niet abnormaal te zijn. Het is even afwachten. Ik heb meteen haar ouders gebeld, die komen vanavond nog. En dan Eveline, dat kind is in alle staten! We moeten vertrouwen hebben, ja, we kunnen niet anders, maar moeilijk is dat wel.'
Aarzelend vraagt Annelies of ze iets kan doen.
'Lief van je, maar nee. Als mijn schoonouders nu niet kwamen... zij

zullen niet alleen Sigrid tot steun zijn, maar ook thuis de boel draaiende houden. Ik laat je wel weten hoe het verdergaat. Moet nu aan het werk...'
Thijmen beent naar binnen, Annelies volgt wat trager. Sigrid uitgeschakeld, wat betekent dat voor haar?

Daar komt ze diezelfde avond nog achter. Als de bel gaat wéét ze, als was de voordeur transparant, wie erachter staat. Haar maag trekt zich samen. Wat zijn haar opties? Niet opendoen, maar dat is uitstel. Zich zo hard mogelijk maken. Dat moet lukken.
Ze haalt diep adem, trekt dan de deur open. 'Lars.'
'Annelies.'
Ze kijken elkaar aan. De lach is uit zijn gezicht weg. De altijd aanwezige vrolijkheid ontbreekt.
'Mag ik binnenkomen?' vraagt hij.
Annelies doet een stap achteruit, laat hem passeren. 'Het is en blijft néé, Lars!'
Hij banjert door de hal, laat zich in de kamer op een stoel ploffen. 'Dus je weet het van Sigrid. Ze is niet alleen bang haar kindje te verliezen, ze kan ook niet meer optreden. Ze mag het zelfs niet meer. Voorlopig tenminste niet. Misschien ooit, na de bevalling. Annelies, jij bent onze enige hoop. Er staat zo veel op het spel!'
Annelies stampvoet. Zij, die altijd de beheersing in eigen persoon is. Haar stem slaat over. 'Je hebt je niet ingespannen om iemand anders te vinden. Is Sigrid de enige zangeres op dit halfrond? Jij met je relaties... je hebt vast wel een of ander boekwerkje of catalogus waar de namen van zangers op alfabet te vinden zijn... via via zou je daar ook achter kunnen komen! Waarom focus jij je zo op mijn stem?'
Lars buigt zijn hoofd. 'Dat heeft zo zijn redenen. Om te beginnen is jouw stem uniek. Past precies bij dat wat wij ten gehore brengen. Het is iets intuïtiefs. En jij weigert! Terwijl je diep vanbinnen zangeres bent. Misschien wel meer dan therapeute!' Lars klemt zijn kaken op

elkaar, de wangspieren bollen op. Annelies wordt nerveus en vraagt zich af of ze Lars ooit nijdig heeft gezien. Het is alsof hij altijd tevreden grijnst. Nu dus niet.
Ze herwint haar kalmte. 'Waarom wind jij je zo op? Laten we er nog één keer rustig... ik zei rústig over praten. Om te beginnen heb je niet het recht mij zo te benaderen. Alsof ik je wat verplicht zou zijn. Het is niet normaal dat je zo aanhoudt. Je... drámt!'
Lars staart naar zijn handen, die zijn knieën zo stijf vasthouden als was hij bang dat ze spontaan los zouden laten. In zijn hoofd stormt het. Stel je voor dat hij Annelies de waarheid zei. De ware reden liet weten waarom hij zo aanhoudt. Zeker weten dat ze hem de deur zou wijzen.
Annelies is ook gaan zitten, kijkt naar de kruin van het gebogen hoofd van de man die haar maar niet met rust laat. Was het Ron maar, die daar zat en smeekte of ze ... ja, wat?
'We zitten omhoog, Annelies. De cd-opname kan ik nog even uitstellen, maar we hebben op korte termijn twee concerten die we niet kunnen afzeggen. Eén hier in het dorp, met Pasen. En een week eerder zijn we gevraagd om op een grote christelijke camping te zingen en te spelen. Jij denkt: voor jullie tien andere bands. Maar we kunnen deze optredens goed gebruiken. Er komt nog iets bij...' Hij heft zijn hoofd op, het lijkt moeite te kosten. Recht kijkt hij haar nu aan. 'Er komt ook bij dat ik... wij, moet ik zeggen, jou bijzonder graag mogen. Als mens. Een mens met een prachtige stem. Wil je het niet proberen en ons helpen? Dan kijken we niet verder dan de openluchtbijeenkomst op de camping en de paasdienst in de kerk in het dorp.'
Zijn ogen zijn bijna als die van Ron, als van Susan. Annelies staart hem aan. Wat een vreemde gewaarwording heeft ze opeens. Alsof Ron transparant vóór Lars staat en haar aankijkt. Dan lost het beeld op en is er alleen nog Lars, met zijn onverwacht onderdanige houding.
Annelies knippert met haar ogen. Begint ze nu te hallucineren? Ze

hoort zichzelf zeggen: 'Ik zal erover nadenken. Echt. Misschien dat het voor twee keer lukt. Maar vergeet niet dat ik de teksten die Sigrid zingt, echt onmogelijk in korte tijd in mijn hoofd kan stampen.'
Het is verrassend zoals Lars reageert. Hij balt een vuist, stompt hem in de lucht en roept: '*Yes, we can*!' Hij springt op en trekt de verbouwereerde Annelies stijf tegen zijn lichaam aan. Ze voelt zijn hart bonken. 'Ik weet zeker dat het je niet zal spijten,' zegt hij. 'Wanneer kan ik het antwoord komen halen?'
Annelies probeert zichzelf te bevrijden. Maar de armen van Lars zijn als schroeven om haar heen. Ze kijkt op, wordt geboeid door de blijde uitdrukking in zijn gezicht. 'Ik bel wel. Of misschien kom ik langs... Geef me nog wat bedenktijd.'
'Je bent een parel.' Lars kan zich niet beheersen, buigt zijn hoofd en drukt zijn mond op die van Annelies. Een zoen om te bedanken, maar na een paar seconden lijkt hij vergeten wat de reden van die kus is en blijkt dat hij er méér mee wil zeggen.
Annelies denkt aan Ron, als was hij het die haar kuste... Heel even geeft ze toe. Het is te verleidelijk. Net of ze hier haar leven lang op heeft gewacht. Dwaas die ze is!
En dan: gered door de bel!
Ze laten elkaar als bij afspraak los, Annelies deinst achteruit en legt een hand over haar lippen. Ze lijkt wel een dwaas om zich zonder meer te laten zoenen. En nog wel op die manier.
Lars mompelt: 'Verwacht je bezoek?'
Ze haalt haar schouders op. 'Nee. Waarschijnlijk een collecte...' Maar zo waarschijnlijk is dat niet, want er zijn alleen bekenden die de weg achter de winkel naar het appartement weten.
Het blijkt Victor te zijn, die roept niet binnen te willen komen. 'De ideetjes met adressen waar hebbedingen te vinden zijn, Annelies. Ik had het kunnen mailen, maar ik moest toch in de buurt zijn. Hopelijk kun je er wijs uit worden. Het staat vol doorhalingen en ik heb een beetje slordig geschreven. Komt door de haast. Laat weten als je

ergens niet uitkomt!' Victor buigt zich langs Annelies heen, ontdekt dat ze niet alleen is. 'Lars! Hoe gaat het, kerel? Heb je al een pianist voor me gevonden?'
Lars roept dat hij het gauw laat weten.
Victor steekt een hand op, woelt even door het haar van Annelies en na een vrolijke groet is hij verdwenen. Annelies sluit met trage bewegingen de deur.
Ze loopt langs Lars heen en legt het zojuist gekregen vel papier op haar bureau. 'We hebben je allemaal nodig, lijkt het. Ik ga dan maar, Annelies, en ik hoop gauw van je te horen.' Bij de inmiddels opengetrokken deur blijft hij staan. Alsof hij nog wat wil zeggen, maar alles is gezegd. Hij opent zijn mond en sluit hem weer. Aarzelt toch nog. 'Ik kan alleen maar bidden dat God tot je hart spreekt. Tot dan, Annelies.' Hij trekt de deur bijna geruisloos in het slot.
Het stormt in het hoofd van Annelies. Wat maakte dat ze heeft toegegeven? Toegegeven om na te denken over het plan om te zingen. Niet één reden kan ze ervoor bedenken. Goed, ze zingt graag. Maar of ze de te zingen liederen kan bezielen zodat de inhoud tot de luisteraars doordringt? Want dat is de bedoeling, toch?
Bluegrass. Daar lijkt de muziek op die ze ten gehore brengen. Folk, jazzachtig ook. Alsof er spontaan wordt gemusiceerd en gezongen, wat niet het geval is. Want reken maar dat er gestudeerd wordt. Annelies weet van zichzelf dat ze bij het horen van de muziek bijna niet kan blijven stilstaan.
Maar de teksten... wat zeggen ze haar? Of doet het er niet toe dat ze het moeilijk vindt het bestaan van een Schepper te accepteren?
Dan schudt ze alle gedachten van zich af. Zoals een hond het water na een zwempartij. Ze doet het. Lars mag nog even spartelen, dat is zijn verdiende loon na het gezeur van zijn kant. Ja, ze wil zingen. Zingen is bevrijdend, het zal haar gedachten afleiden van alles wat haar momenteel dwarszit.
En ja, dat is behoorlijk veel.

# 14

De mooiste bos bloemen is in de ogen van Annelies nog niet goed genoeg als ze een keus maakt in de bloemenboetiek, vlak bij haar appartement. Sigrid heeft een oppeppertje verdiend.
Eenmaal in het ziekenhuis laat ze zich de weg wijzen en na een paar keer fout te zijn gelopen, arriveert ze waar ze wezen moet.
Net als ze op de deur wil kloppen, gaat deze open en botst ze bijna tegen een vrouw van middelbare leeftijd op. 'U bent natuurlijk de moeder van Sigrid! Dat zie ik zo!' lacht ze. Langs haar heen kijkend ziet ze Sigrid rechtop in bed zitten.
Ze krijgt een hand, en een paar vriendelijke woorden. Een stem achter haar zegt: 'Wat is dit voor opstootje?'
De moeder van Sigrid pakt de hand van de nieuwkomer en stelt voor: 'Dat is mijn man. We zijn zo snel mogelijk gekomen nadat Thijmen ons belde! Het gaat gelukkig weer goed met ons meisje.'
De vader werpt een liefdevolle blik op zijn dochter en roept: 'Dag lieverd! Vanavond komen we weer!'
Sigrid hijst zich wat hogerop en zegt ten overvloede: 'Dat zijn mijn ouders. Fijn dat ze er zijn, nu hoef ik me nergens ongerust over te maken. En het gaat weer goed, ik verlies geen bloed meer. Alleen de bloeddruk moet nog wat lager.'
Annelies legt het overdadige boeket op het voeteneind. 'Goed nieuws dus. Leuke mensen... je hebt aardige ouders!'
Sigrid lacht. 'Ja. Ze zijn alleen zo overbezorgd, maar dat schijnt ouders eigen te zijn.'
Er komt een gehaaste verpleegkundige binnen, ze stelt Sigrid een paar vragen en neemt en passant de bloemen mee.
'Ik word zo verwend... te gek!' Sigrid straalt. 'Weet je, Annelies, ik ben zo bang geweest. Bloedverlies... dan denk je toch het ergste? Het schijnt vrij normaal te zijn. Maar ik moet wel rustig aan gaan doen. Luisteren naar mijn lichaam, noemde de gynaecoloog het. Gisteren is

Lars hier geweest...'
Annelies verschiet van kleur. 'Dat zal wel. Heeft hij je van alle verplichtingen ontslagen?'
Sigrid knikt. 'Hij zit 'm te knijpen. Wat jouw antwoord zal zijn op zijn verzoek mij te vervangen. Je doet het toch wel, Annelies?'
Annelies knikt. 'Ik kan moeilijk anders. Maar je weet dat ik met die teksten zit. Jij zingt ze vol overgave, voor mij is het nieuw! Ik moet ze me eigen maken. En dat niet alleen: voor mij is het net doen alsof. Als je me begrijpt.'
Sigrid legt een smalle hand op die van Annelies. 'Natuurlijk begrijp ik dat. Ook al geloof ik in de teksten, dan nóg heb ik weleens problemen dat ik denk: klopt dat wel? Sta ik daarachter, nu ik dat-en-dat probleem heb? Twijfels... geloven in God is een groeiproces dat je hele leven duurt. Soms moet je jezelf overwinnen, maar ook lijkt het of er machten zijn die niet willen dat jij je een kind van God weet.'
Dat is nieuw voor Annelies en moeilijk te begrijpen. 'Ik ben er niet mee opgevoed. Maar aan jou wil ik bekennen dat het me wel aanspreekt. Pas heb ik ontdekt dat mijn vader wél gelovig is opgevoed. Heel streng. Niets mogen, altijd preken dat dit en dat zondig is. Dus heeft hij mij vrijgelaten!'
Sigrid schudt haar hoofd. 'Het is een kwestie van inzicht. Een levenshouding. Zoek je naar de waarheid? Laat je dan door iemand die ervaren is onderwijzen. Bijvoorbeeld mijn tante Ada! Weet je dat in de Bijbel profetieën staan die nog moeten gebeuren? En nog weer andere zijn recentelijk verwezenlijkt. Nou, als dat een mens niet overtuigt... ik zou zeggen: probeer het uit. Vraag of God je de waarheid in het hart wil leggen. Het is zo simpel. Probeer het, Annelies. Zing het maar: "Op die heuvel daarginds... staat een ruw houten kruis, het symbool van vervloeking en schuld." Het is wat je noemt een ouderwets lied, maar nog altijd actueel.'
Annelies lacht nerveus. 'Je had dominee moeten worden, zeg. Ik zal

het proberen. En anders is het maar toneelspel. Als niemand dat maar merkt.'

Ada Berkhout is zoals altijd dankbaar voor bezoek. Het is al snel: 'Vertel het maar, kind.'
Op slag voelt Annelies zich niet ouder dan vier jaar. Hakkelend legt ze uit waar ze mee zit.
Ada Berkhout knikt. 'Je denkt waarschijnlijk ook: als je eenmaal bij de club hoort, wordt het leven gemakkelijker. Maar niets is minder waar. Tegenover jou zit een oudere vrouw die heel wat heeft moeten vechten voor er rust in haar leven kwam. Jaja, een mens is eigenwijs tot en met, weet het altijd beter. Begon al bij Adam en Eva!'
Je bent schooljuffrouw geweest of niet. Ada kan uitleggen. Vertelt in simpele bewoordingen wat het evangelie inhoudt. En ze besluit met: 'Zie het als een lange weg die duurt tot je levenseinde. Vallen en opstaan. Weer struikelen, maar gaandeweg begin je te zien dat er niets anders op zit dan die uitgestoken hand grijpen. Die er altijd is voor iedereen. En als jij gaat zingen, Annelies, doet het er niet toe op welk punt jij op die weg staat. En ook niet of je twijfelt. Dat hoort er allemaal bij.'
Op dat moment vliegt de kamerdeur open en lijkt het of Lars de ruimte met zijn persoon geheel vult. 'Je doet het, ik zie het aan je gezicht, Annelies! Kom hier, dan krijg je een knuffel van me!'
Ada Berkhout staat haastig op en zegt: 'Dan ben ik naar de keuken, want ik ruik mijn koekjes. Heb jij de ruimte!'
Annelies weert hem af als hij zijn handen op de armleuningen van haar stoel plaatst. Zo dichtbij... hij is Ron niet!
'Ik wist het, meisje. Puur gebedsverhoring!' En dan toch een kus, deze keer midden op het voorhoofd.
Annelies protesteert en duwt haar rug tegen de leuning aan, om afstand te creëren. 'Niks gebedsverhoring... het is míjn besluit en van niemand anders!'

'Precies!' zegt Lars op raadselachtige toon. Hij gaat rechtop staan, doet een pas achteruit en bekijkt Annelies alsof hij haar voor het eerst ziet. 'Wanneer kun je komen oefenen? Ik wil eerst met jou alleen de muziek doornemen. Later halen we het zangkoortje erbij. Zul je mijn broer horen. Hij beweerde dat ik je nooit zover zou kunnen krijgen. Haha! Nou ja, het is niet *mijn* werk, maar...'
Op dat moment komt juffrouw Berkhout binnen met een schaal verse krakelingen. Lars ploft op een stoel. 'Mijn dagelijkse bijvoeding. Een en al vitaminen!'
Koffie met krakelingen, zeg daar maar eens nee tegen.
Voor Annelies vertrekt haast Lars zich naar zijn studio om muziek te halen. Even later krijgt Annelies de map die aan Sigrid toebehoort in de vingers geduwd. 'Die lieverd heeft Thijmen met de map hiernaartoe gestuurd.' Hij loopt naar haar auto. 'Ondertussen heb ik nog steeds jouw piano niet gestemd. Ik kom zo gauw ik kan, zie het maar als je gage!'
Diezelfde avond heeft Annelies alweer spijt van haar besluit. Zingen is iets van jezelf prijsgeven. Zo voelt het aan. Je kunt kritiek over je heen krijgen en daar kan ze niet altijd goed mee omgaan.
Ze wil zich eerst de muziek eigen maken, daarna komen de teksten. Ach, wat zijn eigenlijk teksten. Reeksen woorden, meer niet. Af en toe moet een mens een goede daad doen, anderen helpen. Die kreet is haar vertrouwd. Ook al is het wat anders dan luisteren naar de Lucie Huizinga's van deze wereld.

Een goede daad is ook Victor helpen met het feestje. Hij vertrouwt Annelies toe dat het feitelijk gaat om de band met de nieuwe vrienden die hij heeft gemaakt, aan te halen. Het komt erop neer dat hij eigenlijk geen tijd heeft om een feestje te bouwen. Susan en Annelies lachen erom, Susan zegt handig te zijn als het op organiseren aankomt. 'Bovendien zorgt hij zelf voor de catering. Als wij de tent versieren en wat klapstoelen plaatsen, ziet het er al leuk uit. Lars zorg

voor muziek en dat was dat! Het feest kan beginnen.'
De eerste stap is gezet. De uitnodigingen zijn met genoegen ontvangen. 'Je kunt niet meer terug!' roept Annelies als Victor de indruk wekt niets van een feestje af te weten.
Hij zegt zich te schamen als hij ziet wat Annelies en Susan voor hem hebben gedaan. 'Wat jammer dat Sigrid Schreurs er niet bij kan zijn. Volgende keer beter. Misschien moeten jullie weten dat ik mondeling nog een paar lui heb uitgenodigd. Moeten we niet toch wat stoelen plaatsen? Hoewel ik ervan uitga dat met een staande receptie ook niets mis is.'
Victor is verbaasd te zien dat er zelfs een grote koelkast, aangesloten en wel, opzij van de camper is geïnstalleerd. 'De gasten kunnen rekenen op wijn en bier. Ik dank jullie hartelijk!'
En weg is Victor, hij heeft maar even tijd om te zien hoe de bouw van de groentekassen gevorderd is. Arjan is er enthousiast over. 'Ik heb nog iets voor je, een pas verschenen kookboek. Uitsluitend recepten met biologische producten. Samengesteld door Jildou Atema, een vrouw die hier heeft geholpen met het realiseren van de verbouw van biologische gewassen. Jij hebt als kok natuurlijk de nodige ervaring, maar misschien staat er iets in wat je inspireert!'
Het kan niet anders of Annelies loopt Ron tegen het lijf. Hij en Ineke komen een kijkje bij de camper nemen, zien of ze kunnen helpen met de voorbereidingen. Het is even schrikken, een pijnscheut in haar hart en dan een berusten: het woord 'onvermijdelijk' dringt zich aan haar op, en zo is het. Ze kan niet anders dan aanvaarden. Ron en Ineke, ze horen bij elkaar. Annelies brengt het zelfs op om hen lachend aan te zien, ze slaat haar ogen niet voor die van Ron neer.
'Lars heeft je over de streep getrokken, heb ik gehoord. Goed zo, Annelies, je zult er geen spijt van hebben!' zegt Ron.
'Maar ik ben er wel druk mee... weinig tijd om te oefenen en Lars is een onverwacht strenge meester!' Annelies doet luchthartig en is dankbaar dat ze een reden heeft om het groepje te verlaten.

Lars heeft haar piano gestemd. Het is Eveline die diezelfde dag komt om het instrument uit te proberen. 'Papa heeft een piano besteld, maar die is er nog niet en nu kom ik vragen of ik hier mag oefenen. Bij Lars kan het alleen als ze zelf niet bezig zijn.'
Annelies kan niet anders dan toestemmen. Voor ze het weet zitten ze samen achter de piano, ze geeft aanwijzingen die Eveline driftig opvolgt, het puntje van de tong uit de mond. Als ze de muziek van het bandje op de piano ziet liggen, roept ze 'al die versjes' te kennen. 'En de loopjes die dwars door de muziek heen gaan. Die zingt Sigrid zo vaak als ze bezig is in huis. Zal ik jou helpen met oefenen? Want het is bijna Pasen en dan moet jij voor het eerst zingen, toch?'
Eveline is een onverwachte hulp. Haar kinderstemmetje is zuiver en helder. Annelies vergeet op de inhoud van de teksten te letten.
Als het voor Eveline tijd is om naar huis te gaan, zegt het meisje: 'Het is net of we vriendinnen zijn. Ook al ben jij een groot mens en ik een kind. De vader en moeder van Sigrid logeren bij ons en het is net of ze een echte opa en oma zijn. Het is fijn als er mensen zijn die je lief vinden! Mijn echte mama vindt me ook lief, hoor. Maar ja, ik zie haar zo weinig. Misschien komt ze voor de zomervakantie op bezoek. Maar dat vindt Sigrid niet leuk! Het is zo naar, Annelies, want ik houd toch van allebei.'
Annelies knuffelt het kind, want woorden van troost voor het dilemma heeft ze niet. Alleen: 'Weet, Eveline, dat er heel veel kinderen zijn die datzelfde probleem hebben.'
'Dat heb ik ook van papa gehoord.'
Annelies adviseert om aan leukere dingen te denken. 'Over een paar maanden is de baby er en je zult zien dat jij dat leuk vindt! Grote zus ben je dan!'
Eveline belooft morgen weer te zullen helpen met oefenen. 'Als ik dan even op de piano mag... je zult zien dat Lars superblij is dat ik hier mag spelen. Zo gauw ik wat ouder ben, Annelies, ga ik ook op het koor waar Lars dirigent is. Gospels. Die zijn niet saai!'

Annelies krijgt een knuffel en dan is ze weg, de vrolijkheid met zich meenemend.

De eerstkomende zondag besluit Annelies in het dorp naar de kerk te gaan. Misschien steekt ze er iets op... Maar al snel blijkt dat ze zich een vreemde eend in de bijt voelt. De liederen die gezongen worden, kent ze niet, ook al doet ze haar best om mee te zingen. De gekozen Bijbelteksten spreken haar niet aan en de predikant die voorgaat, is geen boeiende spreker. Annelies bestudeert de achterhoofden van de mensen vóór haar. Wat zouden die allemaal denken? Zijn zij wel geboeid?
De dominee werkt in zijn preek toe naar het paasgebeuren. Goede vrijdag. De kruisiging van Jezus. Ze kent nu wel de geschiedenis, maar de diepere zin ontgaat haar nog. Of: ze weigert het als waarheid te accepteren. Is het dat?
Zo, zittend tussen het kerkvolk, lijkt het alsof ze er thuishoort. Maar in werkelijkheid voelt het aan als die keer toen ze als kind verdwaald was in Oslo tijdens een vakantie met haar ouders. Oslo, een immens grote stad, een onbekende taal. Stromende regen. Als door een wonder kwam het allemaal goed, ze werd door haar ongeruste ouders gevonden na een intensieve zoektocht.
Dat is het, ze kan zelf niets meer doen om 'erbij te horen'. Ze moet gevonden worden.

Dan is het zover: er moet serieus geoefend worden. Als Annelies zich veel te vroeg bij de studio meldt, zijn Dennis Versa en Lars met hun instrumenten bezig. Lars stemt zijn banjo en kijkt verrast op als hij Annelies ontdekt. Hij begroet haar met een paar vlotte akkoorden. Hij geeft haar een glimlach, die méér zegt dan woorden.
Annelies wordt door verlegenheid overvallen. Kon ze maar terug.
Dennis Versa legt zijn viool neer en loopt met uitgestoken handen op haar toe. 'Annelies Bussink, geweldig je te zien. Ben je nerveus?

Nergens voor nodig! Je bent een natuurtalent. Je hebt de muziek al doorgenomen, neem ik aan?'
Annelies knikt. 'Wat dacht je, met hulp van Eveline Schreurs. Geloof me, het ging haar goed af. Enfin, nog één keer: voor mij een ander, als het jullie lukt op korte termijn een zangeres te vinden. En nog wat: jullie kennen mijn probleem wat betreft de teksten.'
Dennis knikt en legt in een vriendschappelijk gebaar een arm rond haar schouders. 'Weten we toch. Als iemand het begrijpt, ben ik het wel. Kijk, Lars komt uit een gelovig gezin. Ik niet. Eerder het tegenovergestelde. En ineens stuitte ik op het evangelie. Ik werd nieuwsgierig! Wat bezielt mensen om in een God die ze niet kunnen zien, te geloven? Ja, dat was een strijd. Toen ik inzag dat diezelfde God overal is, begon ik het licht te zien. Als jij mijn eerste gebeden kon horen, zou je me uitlachen. Opeens zat diezelfde God overal ín! In mijn manier van spreken... ik was nogal ruw in de mond, in dat wat ik zong: teksten over ontrouw, overspel, wreedheden, ze waren me eigen. Ik kreeg het niet meer uit mijn mond. Dát was een rare tijd, Annelies! Ik moest accepteren dat ik zo'n beetje alles gedaan had wat God verbiedt!'
'Wel radicaal,' zegt ze aarzelend. 'Je geloofde dus zomaar ineens?'
Lars tokkelt luid op zijn banjo, tijd om te oefenen, wil hij ermee zeggen.
Dennis voert Annelies naar de plek waar de synthesizer staat. 'Niet zomaar. Het ging vanbinnen een eigen leven leiden en nu, zoveel tijd later, kan ik niet anders dan zeggen: ik werd gegrepen en ik leerde. Kreeg vrienden die me verder hielpen, vond boeken of artikelen die ik net nodig had. Ik bedoel maar, Annelies, je kunt het niet uit jezelf. Ieder mens is zo geschapen dat hij of zij een intuïtief verlangen heeft naar een God. Daarom zijn er zo veel afgoden door de eeuwen heen. Om die behoefte te bevredigen, snap je?'
Lars legt zijn banjo weg. 'Praten jullie later maar verder, mensen! Hoog tijd om te oefenen. Annelies, je muziek!'

De stemmen van Lars en Dennis combineren geweldig. Annelies luistert en voelt zich gegrepen. Dit zijn rasartiesten. Zuivere stemmen, de begeleiding is ritmisch, eigentijds met een herinnering aan het verleden. Ja, begrijpelijk dat die muziek voor alle leeftijden is. Ze gaat er volledig in op.

Na een heftig akkoord valt er een stilte. Annelies reageert spontaan, ze schrikt ervan als ze merkt dat ze applaudisseert.

'Nu is het jouw beurt, meisje. Kom erbij staan en laat je gaan, méé met de muziek, zogezegd!'

Even is er die rem, alsof ze wordt beetgepakt en niet vooruit kan komen. Vastgelijmd aan de grond. Eén blik op Lars en ze verzet haar voeten.

Op die heuvel daarginds...

Annelies zingt. Ze krijgt een goedkeurend knikje van Lars. Ze geeft, zoals ze het zelf noemt, vol gas.

Na het slotakkoord komen de mannen met hun instrument in de hand op haar toe en krijgt ze gelijktijdig op beide wangen een welgemeende zoen.

'Welkom!' is alles wat Lars eruit kan krijgen. Hij keert zich om, is opeens druk in de weer met het sorteren van muziekbladen.

Dennis laat op een andere manier zijn vreugde blijken. Hij diept een tekst op die hij vroeger vaak ten gehore bracht. 'Toen wij jou zagen, die eerste keer... dachten wij beiden: wij willen méér! Jouw stem, jouw lach...'

Lars geeft hem een por. 'Zo is het mooi geweest, makker! Kom op, de avond is nog jong en we hebben nog een heel repertoire af te werken.'

Zes keer dezelfde teksten zingen, tot je ze eigen hebt gemaakt. En het is of de inhoud ervan een automatisme wordt. De eerste oefenavond is een succes te noemen.

Maar veel later, als Annelies de slaap probeert te vatten, is er wél het besef van de woorden die ze heeft gezongen. Een stem: 'Het is volbracht! Jeruzalem, jij die je Vorst veracht! Hosanna, in de hoge,

hosanna, 't is volbracht!' De doordringende stem van Lars, die invalt bij het 'Hosanna, 't is volbracht', zindert door haar heen.
Geleidelijk wordt de muziek in haar hoofd gedempt, haar hart lijkt het ritme van de banjo over te nemen. En ze droomt van een gouden stad, waar het goed toeven is.

# 15

Juffrouw Berkhout krijgt voor elkaar wat Annelies met al haar kennis betreffende de kinderziel, niet lukt. Ze houdt het kind een spiegel voor op een manier die nieuw is voor Lucie. 'Kijk goed, kind, naar wat je ziet. Naar wie je ziet. Geschapen naar Gods beeld. Niet zo letterlijk opvatten: God is geen jong meisje. En Zijn uiterlijk is voor ons te heilig om waar te nemen. Maar: je bent zoals Hij je heeft gewild. Waarom zou je sommige stukjes uit de Bijbel accepteren, maar andere gedeelten laten voor wat ze zijn? Wel, als je straks met Pasen met anderen in de kerk zingt en luistert, kortom een stukje van die gemeenschap bent, dan betekent het dat je het gelooft. Waarom dan niet wat ik zojuist zei? Je bent zoals de Heer je wil hebben en dát zou jij durven afwijzen?'

Lucie schrikt ervan. Zo heeft ze haar kwaal nog nooit bekeken. Nu kan ze twee dingen doen: het van zich afgooien, juffrouw Berkhout uitlachen om die ouderwetse woorden, of accepteren.

Jawel, ze gelooft vanaf haar jongste jaren. Ze is ermee opgevoed. Dus...

Verder kan ze niet denken, want daar is juffrouw Berkhout met een handspiegel, gevat in een vergulde lijst. Het voorwerp hoort bij een borstel en een kam, die op dezelfde manier zijn uitgevoerd.

Lucie kijkt zichzelf aan met grote, bange ogen. Nee, ze heeft geleerd voor God niet bang te zijn. Maar toch... ze ziet wat ze ziet! Een meisje met pukkels en... en...

Opeens moet ze lachen, en wel zo, dat de tranen haar over de wangen lopen. 'Nou ja, ik heb van die vieze pukkels... maar dat hebben bijna alle kinderen in mijn klas. Zou u echt denken...'

Een schepsel, door God gewild. Ze denkt door, haar gezichtje is een en al frons. De baby, die in mama's buik groeit, is die ook gewenst? En wat doet zij, Lucie, de grote zus? Ze verwenst het kleintje bijna; veel schelen doet het niet.

'En al die mensen die ongelukkig zijn, sommigen invalide geboren, anderen door oorlogen verminkt, tante Ada. Er zijn mensen die je niet durft aan te kijken... ik heb weleens zo iemand op tv gezien. Een man, heel klein, geen armen, alleen iets wat op vingers lijkt en héél korte benen. Hij... hij heeft prijzen gewonnen, omdat hij zo prachtig kan zingen. Maar wat moet hij ongelukkig zijn, omdat hij zo anders is...'
Juffrouw Berkhout trekt Lucie tegen zich aan en streelt het meisje over haar hoofd. 'Ik heb die man ook horen zingen. En dacht: na dit leven krijgt hij een ander en volmaakt lichaam. Dat is een troost, Lucie, voor veel mensen. Ook dat staat in het woord van God en dat mogen we geloven. Ja, die man en ook zijn ouders zullen momenten van wanhoop hebben. En toch... toch heeft hij levensvreugde, omdat uiterlijk niet het belangrijkste is. Dat willen de media je soms wel doen geloven. Koop dit, smeer dat op je gezicht, doe je haar zus en zo, word zo mager als een scharminkel. Word net als de anderen... Lucie, je hebt een eigen identiteit en die gaan wij samen ontdekken en ontwikkelen. Vanaf nu praten we niet meer over hoe zielig en lelijk jij bent... nee! We gaan een stralende meid van je maken die zin in het leven heeft en blij is met zichzelf.'
Juffrouw Berkhout komt met nog een andere naam. 'Je hebt vast weleens gehoord van Joni Eareckson Tada. Als meisje op een rots gedoken, werd totaal verlamd. Ze besloot God te zoeken, en wat heeft ze veel gepresteerd. Ze zingt, schildert met haar mond, schrijft boeken, en haar visie is: God is een helper. Niet op korte termijn, zoals wij dat willen. Hij kijkt vooruit, ziet ons óók in de eeuwigheid, en dat is een bijzonder standpunt. Als ik aan die vrouw denk, Lucie, durf ik geen klacht meer te uiten. Ze sprankelt van levenslust...'
Lucie huilt nu luidkeels. 'Met het nieuwe kindje was ik niet eens blij. Ik schaam me zo, tante Ada. Ik heb mama veel pijn gedaan. Als ze maar niet denken dat ik iedereen ga smeken of ze me willen vergeven of zoiets...'

'Tuttut, niet zo'n haast. Je hoeft niets te zeggen of te doen, je gaat veranderen en laat je liefde voor je moeder en de baby geleidelijk aan toe in je leven. Alleen ben je niet, ik ben er voor je. Zullen we het ons geheim noemen? Zelfs Annelies hoeft geen details te weten. Zij bekijkt alles door een wetenschappelijke bril. Heel knap en goed ook, maar wij bewandelen die andere weg!'

Dat Lucie aan het veranderen is, merkt Annelies direct bij de eerstvolgende sessie. Lucie spreekt ineens niet over zichzelf, maar over anderen. Dat het toch wel grappig is dat ze een klein zusje krijgt. Jawel, het wordt een meisje, dat heeft de arts op de echo gezien. Ze heeft nog wat leuks te vertellen: in de pauze, op school, liep ze pardoes tegen het meisje op dat gelijk met haar kleding heeft gekocht. 'Weet je, ik heb het verteld. Ze had haar moeder en de oma bij zich, ik tante Ada. Ze herkende me meteen en vertelde pas verhuisd te zijn. Vandaar dat ik haar niet eerder had gezien en ze zit in de parallelklas. Ik ben met haar mee naar huis geweest, toen we een vrij uur hadden.'
Daar staat Annelies van te kijken en ze vraagt zich af wat de omslag bij Lucie veroorzaakt kan hebben, maar erachter komen doet ze niet. Nog niet.
En o ja, ze heeft Lars over Annelies horen praten. 'Hij is wég van jouw stem, Annelies. Het lijkt wel of hij er verliefd op is!'
Omdat Annelies haar nieuwsgierigheid niet kan bedwingen, belt ze met Eke. Nee, er is niets bijzonders voorgevallen, maar ook zij heeft een subtiele verandering waargenomen. 'Ze heeft opeens belangstelling voor de baby. En juffrouw Berkhout heeft haar leren haken. Ze maken nu samen een dekentje. Ik vind het ontroerend. Zou het dan toch goed komen?'
Als Annelies weer een oefenavond heeft, wipt ze even bij juffrouw Berkhout aan. Die laat niets los over Lucie, maar ook zij zegt tevreden te zijn.
Net als vorige keer wordt ze door Lars en Dennis Versa enthousiast

ontvangen. Deze keer durft Annelies zich te geven en zingt ze uit volle borst.
Als het tijd is om naar huis te gaan, informeert Dennis of ze schor is geworden. 'Per slot van rekening ben je geen geoefend zangeres en het zou kunnen dat jij je stem niet altijd gebruikt zoals het moet. Al moet ik zeggen dat je manier van ademhalen perfect is!'
Annelies bekent dat ze niet helemaal ongeschoold is. 'Ik heb tijdens de vakantie wel van die zomercursussen gevolgd. Nee, ik ben van geen kant schor.'
Ze schuift haar muziek in haar tas en wil net afscheid nemen als Lars naar haar toe holt. Hij had zich teruggetrokken toen zijn mobiel rinkelde. 'Stop even, Annelies! Bericht van Susan... Ron heeft een ongeluk gehad! Er was een vrouw op de boerderij van wie het paard op hol sloeg. Ron dacht het dier te grijpen en te kalmeren, maar het trapte van zich af. Arjan was in de buurt, met één beweging had hij het paard wel onder controle, maar met Ron is het goed mis. Hij...' Lars begint te hakkelen. 'Een trap tegen zijn hoofd en in de buik... hij is al naar het ziekenhuis vervoerd. Jongens, wat een schrik!'
Annelies voelt hoe ze wit wegtrekt. Ron, Ron! Misschien haalt hij het wel niet! 'Je wilt natuurlijk naar hem toe,' zegt ze. 'Nee, je moet niet zelf rijden. Ik breng je wel...'
Dennis zegt dat het hem beter lijkt als híj die taak op zich neemt, maar Annelies is er niet van af te brengen: zij kan niet anders, ze moet hem zien.
Lars laat zich gewillig door Annelies meevoeren naar zijn auto en neemt plaats op de passagiersstoel. Dennis kijkt hen hoofdschuddend na en besluit juffrouw Berkhout in te lichten.
Annelies worstelt even met de versnelling, maar nog voor ze de bebouwde kom bereiken, is ze de auto de baas.
'Mijn broer... Ron!' jammert Lars. 'Stel je toch voor... Susan weet niet hoe ernstig het is. Maar de trap van een paardenhoef is niet mis!'
Annelies steekt op de tast een hand naar hem uit, die dankbaar wordt

gegrepen. 'Misschien valt het mee... kan hij met paarden overweg? Ik bedoel: misschien was het dom van hem.'
Lars haalt zijn schouders op en snuit zijn neus. 'Vroeger, op een kamp, hebben we ooit paardrijles gehad. Weet je, hij staat altijd meteen klaar als iemand hulp nodig heeft. Dat is Ron. Mijn moeder overleeft het niet als het niet goed komt met hem!'
Annelies fluistert: 'Ik ook niet...'
Lars kijkt opzij, denkt opeens heel wat te begrijpen.
'We zijn er bijna. Gaat het, Lars?'
De parkeerplaats is nagenoeg leeg, ze rennen naar de hoofdingang.
'Waar moeten we zijn?' hijgt Annelies.
Lars wijst voor zich uit. 'Daar heb je Arjan.' Hij roept de naam van zijn zwager, die onmiddellijk reageert.
'Wat goed dat je er al bent. Kom op. Waar leven is, is hoop, en Ron is bij kennis. Ze zijn hem aan het onderzoeken. Ineke is in alle staten. Jullie moeten haar steunen!'
Arjan vertelt, terwijl ze gehaast door de gangen benen, hoe de toedracht is geweest. 'Nerveus paard, onervaren ruiter. Het dier schrok van Inekes honden die losgebroken waren. De vrouw begon te gillen en toen had je de poppen aan het dansen. Ron had niet in de gaten dat ik aangerend kwam en sprong over een vergeten groentekist, kwam ten val en ja, toen was het snel gebeurd. Hier, we zijn bij de kamer.'
Zoals verwacht is het bed leeg, op een stoel ernaast zit Ineke hartverscheurend te huilen. 'O... jullie! Ik ben zo bang!'
Annelies neemt haar in de armen en Lars klopt zijn zus op de rug. 'Kalm maar, meisje, denk niet meteen het ergste!'
'Ja, maar zijn buik... wie weet of er organen beschadigd zijn! En zijn hoofd bloedde zo!'
Er komt een verpleegkundige binnen die snel de situatie overziet. 'Waarom gaan jullie niet in de wachtkamer zitten? Die is vlak bij de onderzoeksruimte. Ik denk dat de artsen snel klaar met hem zijn en

dan weten we meer. Kom, loop maar even met me mee!'
Ineke en Annelies lopen gearmd, alsof ze steun bij elkaar zoeken. En ook Lars heeft een arm nodig. Arjan houdt hem stevig vast.
'Ik heb even de tijd, willen jullie koffie?' vraagt een verpleegkundige. Ach ja, waarom niet?
De vriendelijke vrouw in het wit komt snel terug met een houder waar een aantal bekertjes in staan. 'Als jullie dit nu opdrinken, ga ik even informeren hoe het ervoor staat.'
Ineke rilt, ze heeft het koud, en Annelies vergaat het al niet veel beter. 'Straks is hij misschien invalide, of nog erger!'
Arjan zegt streng: 'Kom, meisje, probeer je wat te beheersen. Hij heeft je straks nodig.' Hij haalt zijn mobiel uit de zak van zijn colbert, mompelt een sms van Susan te hebben. 'Die zit daar maar in haar eentje, ze kan moeilijk weg vanwege Derk-Jan. Ik denk... Daar, de zuster!'
De verpleegkundige kijkt de kleine kring rond, knikt bemoedigend. 'Hij mag naar zijn kamer. De foto's laten geen verontrustende dingen zien. Maar wacht, daar is de dokter zelf, die kan het beter uitleggen en dan kan ik naar huis... mijn dienst zit erop!'
De arts glimlacht. 'Tja, paarden, daar kan ik sterke staaltjes over vertellen. Maar deze man heeft geluk gehad. Al moet meneer wél een poos zeer rustig aan doen, de trap tegen zijn hoofd had wel dodelijk kunnen zijn. De wond is gehecht, dat komt wel weer goed. Al met al had het veel erger kunnen zijn. Ik adviseer jullie om het bezoek zeer kort te houden. Levensgevaar is er niet. In de buik is niets verontrustends gevonden. Welterusten.' En weg is hij, de panden van zijn witte jas wapperen achter hem aan.
Ineke begint nu hysterisch te snikken: 'Bloed, hij had bloed op zijn jas. Bloed van onze Ron!'
In colonne lopen ze terug naar de kamer, waarvan de deur openstaat. Een oudere verpleegkundige is bezig bij een standaard waar een bloedzak aan hangt. Ze kijkt over haar schouder. 'Moment. Niet te

lang blijven, alsjeblieft! Meneer hier heeft rust nodig.'
Ineke bijt op haar knokkels, ze is bijna niet tegen te houden.
'Jij, kleintje!' mompelt Ron. Hij is gekleed in een ziekenhuispyjama. Er zit een verband om zijn hoofd.
Lars buigt zich over hem heen, zodra de verpleegkundige een stap opzij doet. 'Grote broer van me, wat heb je gedaan?'
Arjan loopt naar de gang om Susan gerust te stellen.
Annelies kijkt verdwaasd om zich heen. Ze heeft hier feitelijk niets te zoeken! Ze is niet meer dan de chauffeur van Lars.
'Hoe voel je je?' snottert Ineke. 'Pijn?'
'Valt wel mee,' zegt Ron, en zijn stem klinkt vreemd, als van een bejaard persoon. Hij kijkt van de een naar de ander, en verbiedt Ineke en Lars om hun ouders in te lichten. 'Dat doen we als ik het zelf kan. Morgen...'
'Je hebt geluk gehad!' stelt Lars vast.
Annelies schuifelt achterwaarts naar de deur. Weg, ze wil weg. Het gebeuren hier is te intiem. Broer, aanstaande vrouw, zwager. Maar als Ron zijn blik door de kamer laat dwalen, ontdekt hij haar. Hij trekt een wenkbrauw op, maar dat schijnt pijnlijk te zijn.
'Ik ben alleen maar...' hakkelt ze. 'Lars kon niet rijden. Maar ik ga alweer...'
Ron probeert iets luider dan zonet te spreken. 'Ben je bang dat ik besmettelijk ben?'
Een antwoord is niet nodig, op dat moment stapt er een kwieke en nog jonge arts de kamer binnen. 'Zo, ik ga die gezellige visite de deur wijzen. Eh... Schutte is de naam, toch? Juist! Ronald Schutte, ik zie het op de kaart. Wel, mensen, hij heeft geluk gehad. En nu wil hij niets liever dan slapen. Ik wens jullie wel thuis!'
Ineke talmt, buigt zich over Ron heen en fluistert iets in zijn oor, hij moet erom glimlachen. Hun monden vinden elkaar in een korte kus en op dat moment is het of Annelies zich met een schok realiseert dat wat zíj meende te voelen voor Ron, iets heel anders is dan

wat Ineke beweegt.
Verliefd op de liefde, een mooie kreet. Maar wel dicht bij de waarheid. Want Ron is per slot van rekening aantrekkelijk, en niet alleen qua uiterlijk. Annelies heeft de neiging hard bij hem weg te lopen. Want deze man, die verpakt in bed ligt, daar heeft ze niets meer mee.
Lars legt een arm om haar heen. 'Kom, chauffeurtje, breng me maar weer naar huis!' Hij roept bij de deur: 'Tot morgen, makker!'
Arjan loopt naar het bed toe, mobiel in de hand. 'Of het toegestaan is, weet ik niet, maar Ron, wil je alsjeblieft iets tegen je zusje zeggen, zodat ze vannacht durft te gaan slapen?'
Op de gang gekomen is het Annelies of ze toeschouwer is. Lars laat haar niet los, pas als ze bij de lift zijn, kijkt hij haar aan. Hij schudt zijn hoofd als ze oogcontact hebben. 'Jij ziet eruit als een ree die aan de jager is ontkomen. Onthutst! Nou ja, is ook op mij van toepassing. Annelies, ik begrijp...'
Ja, hij weet het zeker: Annelies heeft hartenpijn. Hij wéét hoe dat voelt! En nee, er zijn geen woorden van troost voor.
De lift zoeft open en hij duwt Annelies voor zich uit, drukt op de knop voor Arjan en Ineke bij hen zijn. 'Kop op, er komen betere tijden. Als je wilt praten, Annelies, ben ik er voor je. Ik ben dan wel geen man als Ron... ik heb geen vakkennis zoals hij. Maar eh... luisteren kan ik wel.'
Met een lichte bonk arriveren ze op de begane grond, bijna gelijk met Ineke en Arjan, die de trap hebben genomen.
Eenmaal buiten blijft Arjan staan. Hij ademt diep de kille nachtlucht in. 'Dat was op het nippertje, mensen. Het had ook anders kunnen aflopen. Alle reden om dankbaar te zijn!'
De ene arm van Lars blijft om de schouder van Annelies, ze heeft niet de kracht om hem van zich af te schudden.
Ineke begint opeens hartverscheurend te huilen. 'Sorry, er ging ook zo veel door me heen... ons huis, dat bijna klaar is, al die plannen... we denken dat we ongehinderd plannen kunnen maken en dan gebeurt

er zoiets! Hoe moet je met zulke dingen omgaan?'
Zo kent Arjan zijn anders zo stoere zus niet. 'Kom op, we gaan naar huis. Je moest morgen maar niet naar school gaan, je bent niets waard voor de klas. Je zult zien dat morgen alles anders is. Lars, ik bel als er iets mocht zijn wat je weten moet, maar dat ligt niet in de lijn der verwachting, toch? Annelies, bedankt voor het brengen van Lars.'
Zo gaan ze uit elkaar.
Lars wil zelf terugrijden. Annelies laat zich gehoorzaam op de passagiersstoel zakken. Moe, ze is onbeschrijfelijk moe.
Zwijgend leggen ze de afstand af en als ze langs het huis van juffrouw Berkhout rijden zonder vaart te minderen, maakt Annelies een protesterend geluidje.
'Die fiets komt morgen wel,' zegt Lars. 'Ik breng je naar huis.'
De parkeerplaats achter de winkels is slecht verlicht. Annelies stapt uit, verbaast zich dat ze niet anders kan dan strompelen. Lars loopt mee.
'Hoeft heus niet,' zegt ze. En dan: 'Nu ben ik wel schor.'
'Geen wonder. Ik voel me geradbraakt, alsof ik drie dagen achter elkaar heb doorgehaald. Het was me ook wat... Nu komt alles waar Ron mee bezig is op zijn gat te liggen. Maar dat is van later zorg. Hoofdzaak: hij wordt weer de oude!'
Annelies vist de sleutel uit haar jaszak, Lars neemt hem uit haar hand en opent de nogal zware deur. 'Wat ben je van plan, Lars, bij mij logeren?' probeert Annelies grappig te zijn.
'Ik wil zien dat je veilig je trap op komt. Dat is alles!'
Het magazijn zou zomaar een decor voor een B-film kunnen zijn. Via de straatkant komt een beetje licht van de straatlantaarns.
'Welterusten, Annelies. En hartelijk dank voor alles!' Lars trekt haar even tegen zich aan, ze voelt zijn adem over haar gezicht gaan en opeens weet ze dat hij haar geheim heeft geraden. Een geheim dat opeens, van het ene moment op het andere, van intentie en inhoud is veranderd. Maar dat kan ze nog moeilijk prijsgeven.

'Dag Lars, slaap lekker... en wees maar blij met de goede afloop!'
'Ben ik. Jij ook, slaap goed en bedankt.'
Een zoen op haar ene wang. De kus van een vriend. Zo voelt het en het is een goed gevoel.

## 16

Er komt een bijna ondenkbaar verzoek van Ron Schutte: of Annelies zijn lopende zaken wil behartigen. Maar ze kan het niet weigeren. Nu zit ze aan zijn bed, een blocnote op schoot, een pen in de aanslag. Ron ligt in dikke kussens, tot zijn ergernis mag hij nog niet rechtop.
'Je weet dat ik dit moeilijk vind. En eigenlijk zou ik jou niet lastig mogen vallen, Annelies. Maar er is niemand anders die ik het kan vragen. Eerlijk zeggen: kun je het aan?'
Ze kijkt hem spottend in het gezicht. 'Wat denk je? Kom op... ik heb tot voor kort met je samengewerkt. Vertel me maar waar ik het eerst in moet duiken. Voor je het weet, heb je de zaken zelf weer opgepakt!'
Hij knort en sluit voor een moment zijn ogen. 'Laten we het hopen. Goed, je zult wel weten dat het kantoor op de Buitenweg zo goed als klaar is. Ik was juist bezig de computer aan te sluiten, plus de randapparatuur. Maar dat zul jij wel vervelend werk vinden. Misschien kun je Arjan vragen...'
'Zeur niet, beste Ron! Als ik er niet uitkom, vind ik wel iemand. Wat is het tweede punt? Je agenda, die heb ik meegebracht. Moment.'
Ron bladert met zijn linkerhand door de beschreven bladzijden. De vingers van zijn rechterhand bleken bij nader inzien ook gekwetst te zijn. 'Afspraken met een paar lui uit het onderwijs. Ik was van plan een bestuur te benoemen voor als er kwesties uit de hand lopen en voor de achtergrondinformatie. Misschien wil je die mensen bij elkaar roepen en kijken of er nieuws van hun kant is. Ik wil dat alles gewoon doorgaat, begrijp je. Dan de website, die is zo goed als klaar. Zou het mogelijk zijn dat je volgende keer mijn laptop meebrengt? Dan kunnen we er samen naar kijken.'
Annelies knikt, maakt aantekeningen: *bestuur bij elkaar roepen, laptop meebrengen.*
'Heb je al aanvragen?' Haar stem klinkt bedaard, maar zo voelt ze zich niet. Eerst afgewezen, opzijgezet, en nu moet ze de kar trekken.

Het kan vreemd gaan in het leven. Straks, als Ron weer op de been is, mag zij terug tussen de coulissen. Toch? 'Was je ook niet bezig opvolgers voor mij te zoeken?' Ze kijkt hem strak aan, als wil ze hem confronteren met wat er gebeurd is.
Ron kreunt. Schudt zijn hoofd. 'Er waren een paar gegadigden, maar die stelden onmogelijke eisen. Dat punt moet maar even wachten. Wat ik wel heb, is wat aanvragen van ouders met moeilijke kinderen. Kinderen die aan de medicatie zijn en daar willen de ouders van af. Of dat mogelijk is, heb ik nog niet bekeken. Die mensen moeten bericht hebben. Zou jij daarvoor willen zorgen?'
Dat wil Annelies wel. Ze vervallen in zwijgen. Rons hersens werken traag, terwijl hij zich inspant alles wat nodig is helder te krijgen. Annelies klapt haar blocnote dicht en haakt de pen eraan vast. Ze schuift de voorwerpen in haar tas. 'Ik geloof dat jij toe bent aan rust. Het is de vraag of je toestemming krijgt om die laptop te gebruiken. Je kunt mij ook aanwijzingen geven. Morgen kom ik weer. Probeer zo min mogelijk te tobben, Ron! Dat werkt de genezing tegen.'
Ze neemt afscheid als was hij een vreemde. Bij de deur kijkt ze even om, steekt een hand op. Langzaam sjokt ze richting lift.
'Wie hebben we daar!' De lift is zojuist opengeschoven en niemand minder dan Lars is eruit gestapt.
Annelies weet zelf niet waarom ze van kleur verschiet. 'Je broer is er niet slecht aan toe,' zegt ze. 'Het is alleen...' Ze heft haar tas een stukje op. 'Hij heeft me gebeld en gevraagd of ik wat werk van hem wil overnemen. Dingen die geen uitstel dulden. Maar het kost hem moeite om het hoofd erbij te houden!'
Lars pakt Annelies bij een bovenarm en duwt haar richting lift.
'Ga je terug zonder...' zegt ze als Lars op de knop drukt en haar even later mee de kleine ruimte in trekt.
'Dat vind ik onfatsoenlijk van Ron. Je had kunnen weigeren, Annelies. Er is vast wel iemand anders die dat klusje voor hem opknapt. Zal ik het hem zeggen?'

Ze zoeven omlaag.
'Ik kan heus wel voor mezelf opkomen. Als ik het niet aankon, had ik nee gezegd. Ik dacht alleen... wat wil je eigenlijk? Mij naar de auto brengen of zoiets? Ik dacht dat je bij je broer op bezoek wilde!'
Lars trekt haar mee naar de koffiecorner en zoekt een rustig plekje. 'Allereerst wil ik met je praten. Dit is te gek. De kat op het spek binden. Ik wéét toch hoe je eraan toe bent en wat er tussen jullie heeft gespeeld!'
Annelies balt haar vuisten. 'Hoe zou jij dat kunnen weten!'
Lars legt uit dat hij ogen in zijn hoofd heeft en nou ja... hij heeft nu eenmaal al langere tijd goed op Annelies gelet. 'Ik kijk dwars door je heen. Bovendien weten jij en ik dat Ron en Ineke zo goed als getrouwd zijn. Als het gegaan was zoals ze van plan waren, hadden ze de trouwdag allang achter zich. Ron is geen vrij man en ik heb ontdekt dat dit voor jou erg verdrietig is.' Hij zwijgt een paar seconden en zegt dan gebiedend dat Annelies niet mag weglopen, terwijl hij koffie haalt.
'Thee! Liever thee.'
'Thee, goed, maar blijf zitten waar je zit. Ik ben nog niet uitgepraat!'
Ze kijkt hem na. Zelfverzekerde houding, eigentijds gekleed. Lars Schutte, een man uit één stuk.
Even later komt hij terug met een dienblad in zijn ene hand. Zijn anders zo opgewekte gezicht staat ernstig. Annelies is nieuwsgierig wat hij denkt te moeten vertellen. Ze kan de situatie met Ron best aan. Het voelt alsof ze verlost is van haar gevoelens voor hem. Hoe, dat kan ze niet uitleggen, maar ze is er blij om! Ze kan weer vooruit. De mist is opgetrokken. Zelfs zonet, toen ze zo dicht naast hem zat, deed het haar zo goed als niets. Ja, ze is in staat hem te helpen zodat de plannen voortgang kunnen vinden.
Lars ploft op het nogal krappe stoeltje en rukt de kop koffie naar zich toe. 'Ten eerste wil ik helpen iemand anders te vinden die Ron met de papierwinkel en de rest helpt. Het moet voor jou een kwelling

zijn... Als Ron eenmaal bevlogen is, moet en zal dat doorgang vinden en het maakt hem weinig uit als hij mensen daarbij op de tenen trapt. Ik wil hem niet afvallen, maar zo zit hij in elkaar.'
Annelies nipt van de thee en kan een glimlach niet inhouden. 'Dan lijken jullie toch meer op elkaar dan ik dacht. Zoals jij achter mijn stem hebt aangejaagd, zonder op mijn wensen te letten... dat is vergelijkbaar!'
Er kan een grijns af. 'Kan ik niet ontkennen. Maar ik wil je beschermen, Annelies. Het is niet nodig dat de anderen te weten komen dat jullie... Nou ja, dat jij gevoelens voor mijn broer koestert. Zeker Ineke niet. En Susan... Je kunt hun vriendschap beter koesteren door het stil te houden. Ze kunnen zomaar beïnvloed worden en dan kom je alleen te staan. Er zijn natuurlijk genoeg anderen te vinden, maar je bent er zo bij gaan horen. Daarom heb ik een plan bedacht dat hen allemaal op het verkeerde been zal zetten!' Hij kijkt triomfantelijk.
Annelies wordt nieuwsgierig. 'Zeg op. Je bent wel een man van verrassingen!'
Lars zegt het heel kort te willen vertellen. 'Zie het zo: als jij vanaf dit moment een ander zou hebben... ik bedoel een vriend, dan komt niemand op het idee jou met Ron in verband te brengen. Ik heb de hunkering in je ogen gezien. Hopelijk ben ik tot nu toe de enige...'
Annelies is verbaasd en wil hem tegenspreken. 'Het is niet zo. Het is anders dan je denkt...'
'Van het ene moment op het andere hebben jullie de samenwerking verbroken. Dat gaf al te denken. Zelfs de ideale plek in het huis in de Marktstraat liet hij vallen. Dus denk maar na over mijn idee om jouw goede naam te redden.'
'Dat klinkt overdreven! Maar ga je gang.' Ze drinkt haar theekop leeg en is van plan zo snel mogelijk op te stappen.
'Als jij vanaf nu laat merken dat iemand anders je voorkeur heeft, begrijp me goed: tijdelijk, dan ziet geen mens de waarheid. Zelfs Ron zal erin trappen.' Weer die triomfantelijke blik, vol verwachting ook.

'Wie heb je in de aanbieding?' probeert ze grappig te zijn. Dan ziet ze Lars blozen als een jonge meid en vallen de schellen van haar ogen. 'Néé!' kreunt ze.
'Jawel. Ik herhaal dus: tijdelijk. Wij zijn vanwege de muziek meer dan bevriend geraakt. Juffrouw Berkhout zorgt wel voor de verspreiding van het nieuwtje. Straks is het zomervakantie en de meesten gaan eropuit, men is vol van de eigen plannen, de anderen zijn minder belangrijk. En dan gaat dat wat tussen jou en mij speelt uit... als een nachtkaarsje. Ondertussen kun jij eraan werken afstand tussen Ron en jou te creëren. Dat is hard nodig en daarom is het oerdom dat je hem nu denkt te moeten helpen!'
Annelies krijgt een kurkdroge mond, helaas is haar kopje leeg. Lars... wat hij voorstelt is te gek voor woorden. Net nu ze tot de ontdekking is gekomen dat hij wel een heel bijzonder persoon is. Op veel punten ver boven zijn broer is te verkiezen! En juist nu moet ze toneelspelen en de goegemeente laten denken dat er wat tussen hen speelt. 'Dat kan ik echt niet. En ik wil het ook niet!'
Lars buigt zich over het tafeltje heen en grijpt de hand van Annelies, die met een theelepeltje speelt. 'Ben ik zo afschrikwekkend? Echt, ik kan heel charmant zijn als het moet, Annelies. We gaan toch niet verder dan een kusje in het bijzijn van anderen... Netjes, op een wang of zo.'
Annelies begint nerveus te giechelen. Dat 'of zo' doet het 'm. Ze krijgt het er heet van, ontwijkt zijn ogen.
'Annelies!' Haar hand wordt bijna fijn geknepen.
Opeens loopt haar hart over van emoties die ze niet thuis kan brengen. Waarom biedt een mens een ander zoiets aan? Ze gooit eruit: 'Je moet ook aan jezelf denken. Wie weet of er iemand rondloopt die je verdriet doet met die leugens! Bovendien ben je niet het type voor een, hoe moet ik het uitdrukken... een scharrel. Je bent meer een man voor een serieuze relatie. Net als je broer, net als je zus!'
Lars laat haar hand los, maar zijn ogen blijven strak in die van haar.

'Je schat me goed in. Maar dat doet er niet toe. Weet je wat, denk er maar over na. Dan ga ik nu nog een kwartiertje naar Ron en ik zal hem duidelijk maken dat hij jou met rust moet laten!' Hij staat op, de stoelpoten krassen met een onbarmhartig geluid over de stenen vloer.
'Als je dat maar laat! Ik lijd er heus niet onder en bovendien, Lars, er is niemand anders die het werk kan voortzetten. Voor je alles aan een vreemde hebt uitgelegd, is Ron alweer uit het ziekenhuis ontslagen. Het gaat maar om een paar punten zodat hij zodra het mag, de draad weer op kan pakken!'
Ze staan als twee kemphanen tegenover elkaar.
'Soms zou ik je wat kunnen doen!' zegt Lars met ingehouden stem. Niet nodig dat ze publiek krijgen bij hun meningsverschil.
Annelies klemt haar tas onder een arm en rammelt dreigend met haar autosleutels. 'Als ik toch merk dat je hem de les leest... dat is dé manier om bepaalde zaken in het daglicht te plaatsen. Waar ik mee wil zeggen: juist het feit dat ik dit aankan, is een goed teken!'
Een gilletje doet hen omkijken: Susan struint in hun richting, terwijl ze de wandelwagen met Derk-Jan voortduwt. 'De halve familie heeft vergaderd. Nog nieuws? Wat kijken jullie raar... er is toch niets?'
Lars ontspant zich, maakt de baby aan het lachen, en tot schrik van Annelies legt hij een arm om haar heen op een niet mis te verstane manier.
'Ooooh!' roept Susan. 'Zit het zo in elkaar!'
Lars legt een vinger op zijn lippen en knipoogt.
'Ik moet weg... ben al te laat!' zegt Annelies. Ze hoort hoe haar stem overslaat.
Susan kijkt van de een naar de ander. 'Ik? Ik kan zwijgen als het graf! Ga ik alleen naar Ron of wil een van jullie mee? O nee, Annelies wil weg. Nou, meid, tot gauw dan maar!'
Annelies weet zich met een draai los te maken van Lars en stottert dat ze gauw op de Buitenweg langskomt om voor Ron een en ander in het kantoor in orde te maken. 'Dingen aansluiten en zo...'

Lars gaat achter de wandelwagen staan en pakt de stang. 'Dan ben ik er ook. Ja, we hebben Ron beloofd, Susan, om hem te helpen wat dingetjes klaar te maken zodat hij strakjes de draad weer kan oppakken, is het niet, Liesje?'
De vlammen slaan 'Liesje' uit. 'Ik groet jullie!' En weg is ze.
Derk-Jan kraait, zwaait met een kapot gesabbelde knuffel en laat merken dat hij eruit wil. Lopen! Een kunst die hij pas ontdekt heeft.
Broer en zus wandelen naar de lift. Susan barst van de vragen, maar Lars doet niets dan grijnzen. En omkijken.
Maar daar heeft Annelies geen weet van.

'Wát ben je van plan? Spoor je wel?' Annie Bussink heft haar handen ten hemel. 'Je hebt gevochten om van hem los te komen en nu loop je met open ogen in een val. Wat doe jij jezelf aan?'
Zoals vaak zitten ze samen aan de keukentafel. Annie met een mandje aardappels vóór zich en een mesje in de hand waar ze tot een minuut geleden druk mee in de weer was.
'Wat had ik dan moeten doen?' vraagt Annelies. 'Ik kan hem toch niet in de narigheid laten zitten. Er moeten brieven – die al klaarliggen – de deur uit, andere wachten op antwoord. Dat soort dingen. Zijn kantoor aan de Buitenweg is bijna klaar, het is een kwestie van ordenen en de apparaten aansluiten. Ach, Annie... ik kan hem echt niet aan zijn lot overlaten.'
'Je blijft zo kalm... lieverd, je hoopt toch niet dat door deze vorm van samenwerking je iets bij hem bereikt. Dat hij Ineke laat schieten...'
Annelies plant haar ellebogen op tafel en sluit berustend haar ogen. Had ze gedacht haar moeder voor de gek te kunnen houden? 'Dat kan, mag en wil ik toch niet hopen. Nee, Ron en Ineke, mam, dat is een koppel dat je niet zonder meer uit elkaar drijft. Daarvoor is hun liefde te sterk. Als er geen tegenslagen waren geweest, zouden ze al lang en breed getrouwd zijn. Ze wilden eerst ook in de boerderij gaan wonen, dat weet je toch wel? Hun nieuwe huis is bijna klaar. Dus dat

wordt binnenkort echt trouwen en... nu komt het fijne: ik ben niet jaloers.'

Annie steekt haar mesje in een aardappel en vouwt haar armen over elkaar. 'Vertel op. En denk erom dat je me niet weer iets op de mouw speldt. Ik kijk dwars door je heen, ik ben je moeder!'

Annelies is de rust zelf. Ze glimlacht breed. 'Ik vind het zelf ook een wonder, lieve moeder. Natuurlijk heb ik het even zwaar gehad... ik was zo verliefd. Alles aan hem vond ik even geweldig. Maar goed... ik begon dingen anders te zien, bekeek alles op afstand. Kijk, het is een proces. Niet iets wat van het ene moment op het andere van kleur veranderde. Toen kwam het ongeluk met het paard. Ik zag Ron heel kwetsbaar in dat bed liggen, hoofd in het verband, bloedzak aan een standaard en meer van die dingen. Ineke en hij vormden zo'n eenheid. Het was of ik door een onzichtbare hand van hem werd weggetrokken. Heus, niets in mij verlangde ernaar om met Ineke te kunnen ruilen. Ik was met hem begaan. En dankbaar dat het niet ernstiger was. En nu moet ik je wat bekennen: ik ben bang dat mijn domme hart wéér in de val aan het lopen is. Het maakt me onzeker...'

'Victor?' hoopt Annie Bussink.

Annelies zet grote ogen op. 'Victor van hiernaast? Welnee... Al was hij de laatste man op aarde, dan nog viel ik niet op hem. Leuke vriend, meer niet.'

Annie grijpt het aardappelschilmesje en begint met heftige bewegingen te schillen. 'Wat wil je, moet ik gaan raden? Al je mannelijke kennissen opnoemen? En wat is de reden dat je me in vertrouwen neemt? Niet dat ik... eigenlijk is dat niets voor jou.' De geschilde aardappel wordt in een pan met water gemikt, druppels spatten op.

'Omdat ik onzeker ben. En jij kent mij als geen ander. Ik ben zo bang voor verkeerde beslissingen. Niet dat er wat te beslissen valt... maar ik ben er zo door verrast. Dat is het.'

'Vertel het me dan maar, lieverd. Wat kan ik voor je doen?'

Annelies zoekt naar woorden. Begint met heel iets anders. 'Het komt door dat zingen. Zondag treden we op in de kerk in het dorp. En ik zing uit volle borst teksten die ik van mijn leven nog niet heb gebruikt. Alsof ik het meen... en nu komt het: ik ben overstag. Ik bid, mam.'

Annie haalt haar schouders op als antwoord. Zegt dan: 'Wat is daar mis mee? Dat doen zo veel mensen. Schietgebedjes: help me de trein te halen, laat me alsjeblieft voor dat examen slagen... bedoel je zoiets?'

Dan komt Flip binnen, hij bespeurt de spanning en gaat naast Annelies zitten. 'Geheimen?'

Annie kijkt vluchtig op. 'Ze zegt dat ze bidt.'

Flip knikt. 'Ik dacht wel dat dit eraan zat te komen. Je bent er al even mee bezig, toch? Heb je nu geen moeite meer met die liederen?'

'Eigenlijk gaat het vanzelf. Alsof ik het meen en niet huichel. Dat maakt het allemaal wel gemakkelijker. Ik hoor er nu bij, en dat is niet langer verontrustend.' Ze bloost en dan vallen haar moeder de schellen van de ogen.

'Aha! Je bent dus van broer veranderd. Ik ken die jongen niet zo goed... man, moet ik zeggen. Maar wat ik over hem weet, is prima. Wat is nu de kern van je probleem?'

Flip plaagt: 'Ze vraagt om ouderlijke goedkeuring, denk ik.'

'Pa! Punt is: hoe kan een mens in korte tijd zo van gedachten veranderen? Ik dacht dat de wereld verging... Ineke en Ron. En nu gun ik ze hun geluk. En heb mijn blik op een ander punt gericht. Ander mens, moet ik zeggen, en dat verwart me zo. Ik ben nooit zo snel met mijn gevoelens.'

Flip legt vaderlijk een arm rond de schouders van zijn dochter. 'Dat is het mooie van liefde, schatje. Het kan zomaar oplaaien. Hormonen? Ach... het is méér. Een mens is niet geschapen om alleen door het leven te gaan. Ook al loopt het soms wel zo, helaas. Door overlijden, scheidingen, noem maar op. Maar het is een natuurlijke zaak om samen te willen zijn, je leven met iemand te willen delen.'

Annie schuift het aardappelmandje van zich af. 'Nooit gedacht,

Annelies, dat jij je ouders op zo'n teer punt in vertrouwen zou nemen. Als ik het goed begrijp, gaat het er dus om dat jij je onzeker voelt wat betreft de wisseling van persoon die je boeit? Het zal wel zo moeten zijn.'

Dan vertelt ze haar man over het aanbod van Annelies om Ron te helpen met zijn bezigheden, voor het werk zich opstapelt en er geen doorkomen meer is.

'Heel goed. Kun je meteen jezelf controleren of je dat wat je vertelde voor honderd procent meent.'

Vader en dochter krijgen een halfuurtje later een bord voor hun neus, Annie heeft ondertussen het eten bereid.

'Het komt door het zingen in die band. Toch? Weet je dat ik diep in mijn hart blij ben dat je je talent gaat gebruiken?' Flip kijkt de anderen indringend aan. 'Je bent een goede therapeut. Niks mis met jou. Maar dat heb jij je eigen gemaakt. Het zingen... kind, dat is een gave. Misschien moet je ook zangles nemen. Er zijn maar weinig vrouwen die hun stem met die van jou kunnen vergelijken, is het niet, Annie?'

Annelies glimlacht. Ouders... Ze heeft een beetje spijt zich zó bloot te hebben gegeven. Maar ze voelt zich ook zo onzeker. Het voelt als: je stemt op een partij, gaat ervoor, en van de ene dag op de andere verander je van mening.

Annie giet de juskom boven haar bord leeg en komt met haar conclusie. 'Wat ik denk is dit: je hebt in de een van alles gezien, maar het uiteindelijk bij die ander gevonden. Mijn zegen heb je.'

Annelies kijkt naar de plas jus op haar bord en moet ondanks de ernst toch lachen. Ze sliert er een brokje aardappel aan de vork doorheen en steekt het in haar mond. 'Dank je voor het luisteren. Jij ook, lieve Flip. Ik had het even nodig, de mening van twee wijze mensen. Mensen die me echt kennen. Vandaar. Nu voel ik me rustig... Mijn verliefdheid op Ron voelde aan als een soort ziekte. Koorts. En nu... tja, nu is het anders. Het goede woord moet nog uitgevonden worden, maar zodra ik het ontdek, zijn jullie de eersten die het horen!

Het is net de spanning zoals voor een examen.'
Ze krijgt twee zoenen en de verzekering dat beide ouders dat goede woord, mocht ze het ontdekken, in hun Dikke Van Dale zullen schrijven.

# 17

Annelies heeft het maar druk met haar sociale contacten. Twee bezoeken op één middag. Eerst is Eke aan de beurt. Natuurlijk hebben ze genoeg gespreksonderwerpen: allereerst de toch veranderde houding van Lucie. Beiden vermoeden dat de logeerpartij bij juffrouw Berkhout genezend heeft gewerkt. 'En,' beweert Eke, 'de vriendschap met dat nieuwe meisje. Daar is ze close mee en vreemd genoeg durft ze haar in vertrouwen te nemen. Als dát geen vooruitgang is! Denk nu niet dat wij jouw gesprekken met haar niet gewaardeerd hebben...'

Annelies reageert bedaard. 'Ik denk dat alles samengewerkt heeft ten goede. Belangrijk vind ik dat ze zich op je kindje verheugt, Eke! We hebben alle reden om dankbaar te zijn.'

Dat heeft de vrouw op het volgende bezoekadres ook. Sigrid is weer thuis, mét, zoals Thijmen het noemt, een gebruiksaanwijzing. Annelies wordt door de moeder van Sigrid ontvangen. En ja, zij verheugt zich erop om oma te worden.

Eveline is door het dolle heen, omdat haar piano is bezorgd. 'Als jij speelt, Annelies, kunnen we Sigrid laten horen hoe goed wij samen kunnen zingen!'

De teksten zitten erin, evenals de lastige loopjes die de muziek een eigentijds karakter geven. Sigrid bespeurt veranderingen in Annelies. Ze zegt er niet veel van, alleen: 'Ik verheug me erop jou te horen zingen met Pasen. Reken maar dat ik naar de kerk ga, al moeten ze me er met een bed naartoe rijden! Misschien zing ik dan wel met je mee, zo tussen de kerkgangers.'

Van Sigrid krijgt Annelies te horen dat ook Ron uit het ziekenhuis is ontslagen. Dat had Annelies niet verwacht en ze besluit ter plekke ook Ron een bezoekje te brengen.

'Hij is niet thuis,' zegt Sigrid, 'maar revalideert bij Susan en Arjan op de boerderij. Doe hem mijn groeten!'

Met Eveline in haar kielzog fietst Annelies de korte afstand naar de Buitenweg. Het mondje van Eveline staat niet stil. Onderwerpen in overvloed... 'Ik ga denk ik naar mijn pony. Ik heb mijn paardrijkleding in de schuur van de boerderij. Als het paard dat op hol sloeg van die mevrouw maar niet in dezelfde wei loopt! Mijn pony is zo mak als een lammetje. Misschien zijn er nog wel meer kinderen, het is zo leuk om met een groepje te rijden.'
Hun wegen scheiden bij de kinderspeelplaats. Eveline huppelt naar de schuur, waar ook overalletjes en laarzen voor de kleuters hangen en staan. Annelies sluit het hek achter zich, voelt nog eens na of het goed gesloten is.
Een leidster komt naar buiten met een groepje hummels. Een paar gaan richting zandbak, anderen duiken op de speeltuigen af. Door een raam ontdekt ze Susan, die met haar zoontje op een speelmat zit, om hen heen blokken.
'Wat gezellig, Annelies! Weet je dat Ron thuis is? Het gaat goed met hem, maar de hoofdpijn is nog niet weg. Hij moet zich dan ook rustig houden en zo veel mogelijk plat!'
Annelies vertelt dat ze speciaal voor hem komt.
'Wat fijn. Lars wil vanavond helpen met het aansluiten van de computer en de andere dingen. Hij heeft een boodschappenlijstje gemaakt. Toners voor de printer en ook papier. Kun jij daarvoor zorgen?'
Annelies zegt juist daarvoor te komen. Ze kent de weg binnendoor. Via de kinderspeelkamer belandt ze in het woonhuis en aan het eind van een lange gang zijn de kamers die voor een tweede gezin bedoeld waren, maar waar nu het nieuwe kantoor is.
Ze opent de deur en verbaast zich dat haar hart niet sneller klopt, ze is zo rustig. Vredig, dat woord vindt ze zelf nog toepasselijker. Het kantoor is zoals ze het samen in het huis op de Marktstraat gepland hadden. Ze kijkt om zich heen. Er staan verhuisdozen die nog uitgepakt moeten worden en tegen een muur ontdekt ze ingelijste posters.

De wanden zijn nog kaal, behalve een kalender hangt er niets.
Er dringen zo goed als geen geluiden door van buiten. Langzaam loopt ze verder, opent de deur naar de zogeheten observatiekamer. Nog meer verhuisdozen. Tja, wat wil je, als je alles alleen moet doen. Wílt doen.
Via een kleine hal komt ze waar ze wil zijn: de privékamers van de logé. Ze geeft een tikje op de deur.
De stem van Ron klinkt al krachtiger. 'Ja!'
Annelies gluurt om een hoekje en begroet hem. 'Schikt het?'
Ron hijst zich rechtop.
'Niet doen, blijf toch liggen. Ik kom alleen vertellen wat ik zoal voor je gedaan heb en voor informatie wat er nog meer moet gebeuren. Ik heb mijn notities niet bij me, omdat ik net pas gehoord heb dat je hier vertoeft. Hoe gaat het?'
De kamer oogt gezellig, een paar bossen bloemen in mooie vazen. De overgordijnen zijn halfgesloten. Ron zegt niet goed tegen het licht van buiten te kunnen.
Annelies ontdekt dat híj degene van hen beiden is, die zich ongemakkelijk voelt. Ze pakt een stoel en gaat niet te dicht bij het bed zitten. 'Je ziet er beter uit dan pas na het ongeluk. Fijn dat je bij Susan terechtkunt. En met Ineke onder hetzelfde dak! Zal ik straks die dozen voor je uitpakken? Het kantoor oogt goed. Het is alleen zo... zo ongebruikt!'
Ron kijkt nors. 'Mee eens!'
Dan vertelt Annelies wat ze voor hem heeft kunnen doen. 'Je hoeft maar te kikken of de mensen met wie je wilt vergaderen komen om je bed zitten. Jammer dat ik je laptop niet heb meegebracht. Dat kan Lars dan wel doen, die komt vanavond.' Ze hoort zelf dat ze ratelt. 'Ron, je moet in de eerste plaats zorgen dat je beter wordt en daarom moet je niet te veel piekeren over alles wat je had willen doen.'
Ron sluit even zijn ogen en zegt zich bezwaard te voelen Annelies zo lastig te moeten vallen. 'Je mag ook weigeren.'

Annelies voelt zich opgewonden: toch te gek voor woorden dat ze hier nu zo kalmpjes naast Ron zit, zonder dat ze over haar toeren raakt!
'Jij zit ergens op te broeden, dat lachje van je ken ik zo langzamerhand!'
Nu lacht Annelies haar oude lach, luid en duidelijk. 'Omdat ik me zit te verbazen over mezelf. Weet je, Ron Schutte, ik wil je wat bekennen. Het moet tussen ons blijven!'
Ron knikt. 'Zeg maar op. Ik hoop alleen dat je niet...'
'Sst!' valt ze hem in de rede. 'Ten eerste wil ik even zeggen dat het me spijt dat ik toen zo boos werd. Ik had niet zo tegen je tekeer moeten gaan. Sorry daarvoor.'
Ron knikt.
'Ten tweede is het net of ik sinds kort, laat ik zeggen... een andere bril op heb gezet, die maakt dat ik de dingen anders zie. Jou, bedoel ik. Ik mag je nog steeds erg graag... als een soort broer. Als een van mijn beste vrienden. Maar dat andere... waar ik het zo moeilijk mee had, Ron, dat is als sneeuw voor de zon verdwenen. Hoe kan dat? Raar maar waar. Het lijkt wel een bevlieging te zijn geweest. Ik dacht dat je dat wel zou willen weten!'
Ron knippert met zijn ogen, als moet hij de beelden om zich heen scherper zien te krijgen. 'Daar ben ik zonder meer heel erg blij mee. Weet je, ik had het er erg moeilijk mee.'
Annelies is het met hem eens. 'Ik toch ook. Verliefd op de liefde, wordt zoiets weleens genoemd. Raar, maar toen ik jou in het ziekenhuis in bed zag liggen en Ineke die zich zo intens om je bekommerde, begon dat bevrijdende gevoel. Zo, nu wil ik er nooit meer over praten. Ik ben hier om opdrachten, weet je wel?'
Ze merkt dat Ron vermoeid is, het is beter dat ze zich terugtrekt. 'Gordijnen maar helemaal sluiten? Misschien kun je dan wat slapen. Ik begin gewoon met het uitpakken van de dozen!' Ze loopt naar het raam, ziet dat er een groepje ruitertjes voorbijrijdt. Eveline aan kop.

Ze kijkt de kinderen na. Mooi plaatje, zo op een prachtige lentedag!
'Goed. Je doet maar wat je denkt dat goed is.'
Annelies verlaat hem zonder nog een keer om te kijken. In de observatiekamer begint ze met de eerste doos. Speelgoed, maar geen kasten om wat in te zetten. Al snel ontdekt ze dat wat in de bergruimte moet komen te staan nog ingepakt in een hoek staat.
Wat later komt Susan vragen of Annelies blijft eten. 'Zoals gewoonlijk hebben we genoeg. Er komt zo vaak een onverwachte gast!'

Niet lang na de warme maaltijd duikt Lars op.
'Ik had willen vragen of je de laptop van Ron wilde halen bij mij thuis...' zegt Annelies zodra ze hem ziet binnenstappen.
'Niks geen laptop, Ron moet nog kalm aan doen! Is het echt nodig dat jij hier loopt te redderen?' Lars lijkt geïrriteerd.
'Zeker wel, en ik doe het met plezier. Voor je met de elektronica begint, Lars, kun je helpen met het in elkaar zetten van de kasten. Dan kan ik ook weer door met het uitpakken van die dozen daar.'
Zoals gewoonlijk is het even puzzelen voor de juiste delen met elkaar verbonden zijn. De sfeer tussen hen is vreemd gespannen. Alsof er elektriciteit in de lucht zit, en pas als ze een deurtje ondersteboven willen vastzetten, schieten beiden in een bevrijdende lach.
'Mooi team zijn we!' roept Annelies.
Lars laat zijn handen rusten. 'Inderdaad. Alleen heb jij twee linkerhanden.'
Annelies staart verbijsterd naar een paar schroeven en metalen rondjes, die zo te zien nergens voor nodig zijn. 'Die hebben we over, wat raar!'
Ze kijken elkaar aan over de kast die op de rug op de grond ligt. Lars krabt over zijn kruin, schudt zijn hoofd. 'Gewoon in een laatje stoppen. Zal wel reservespul zijn!'
Annelies gaat staan, ze heeft te lang gehurkt gezeten. 'Ik vind het mooi voor vandaag. Even bij Ron kijken voor ik ga. Morgenmiddag

ben ik om een uur of drie klaar en dan kan ik hier nog wel even aan de slag, zodat er schot in komt. Ron wil het zo graag.'
Lars is ook gaan staan, klopt zijn broekspijpen af. 'Ja. Ik loop dan wel even mee. Is Ineke niet thuis?'
Annelies legt haar hand op de deurkruk. 'Rapportenvergadering.'
Ze voelt dat Lars ergens mee zit, denkt ook te weten wat, maar is niet van plan hem de ruimte te geven wat dan ook op te merken.
Ze is als eerste bij Ron, die probeert zijn hoofd bij een tv-uitzending te houden. 'Vast niet goed voor je hoofd!' vindt Annelies, terwijl ze op dezelfde stoel als die waar ze vanmiddag heeft gezeten, neerploft.
Ron drukt op de afstandsbediening, het geluid is niet meer te horen. 'Jawel, zuster. En eh... heb je wel door kunnen werken met Lars om je heen?'
Lars kijkt van Ron naar Annelies. Zoals die twee met elkaar praten, proberen grapjes te maken. Hij begrijpt het niet. Er is iets anders dan anders.
'Ik ga, Ron,' zegt Annelies. 'Morgen krijg jij je laptop, dan kom ik wel met de auto. En dan moet je ook beslissen wat je wilt met die eerste aanvragen. Ik zou je daarmee kunnen helpen. Maar dan moet je het echt willen.'
Nog voor Ron kan antwoorden, zegt Lars op voor hem scherpe toon: 'Zou ik niet doen.'
Annelies loopt naar de deur. Ze grijnst naar de gebroeders Schutte. 'Gaat jou niets aan. Jij hebt niets te zeggen! Dag, tot ziens jullie!'
Lars briest: 'Dat dácht jij maar!'
En weg is ze. Alsof ze op de vlucht slaat. Zo voelt het en misschien is het ook wel zo.

Victor boft: op de dag van zijn feestje is het 's avonds droog na een dag stromende regen. Sigrid vindt dat ze zich best even kan laten zien en Annelies belooft niet van haar zijde te wijken, terwijl Thijmen zich bezighoudt met zakelijke relaties.

Het blijkt dat Victor al heel wat plaatsgenoten tot zijn kennissen kan rekenen. Annelies kijkt haar ogen uit, hoe krijgt hij het voor elkaar? Lars en Dennis zorgen voor livemuziek, tot genoegen van Annelies. Nu heeft hij tenminste geen tijd om zich met haar te bemoeien. De enige die ontbreekt, is Ron Schutte. Al kan hij vanuit zijn bed het feestgedruis wel horen. En bezoek krijgt hij ook, veel van de bekenden wippen even bij de zieke aan.
Na een dik uur wordt het Sigrid te veel en Annelies is blij dat ze een smoes heeft om te kunnen vertrekken. Eenmaal thuis bij Sigrid probeert deze Annelies terug naar het feestje te krijgen. Wat niet lukt.
'Ik ben niet in de stemming voor een feestje. Bovendien heb ik nog een en ander voor Ron te doen. Je weet toch dat ik hem een beetje help?'
Sigrid vindt het een vreemde zaak. 'Eerst gaan jullie uit elkaar, denkt hij alles alleen te kunnen doen, en opeens heeft hij je weer nodig! Nou ja, misschien denk jij: hij is zo'n beetje familie.' Het moet voor een plagerijtje doorgaan, maar het landt niet op die manier.
'Je vergist je,' doet Annelies luchtig.
Sigrid probeert duidelijker te zijn. 'Een kind kan zien dat Lars stapel op jou is. Zelfs Eveline kwam er laatst mee thuis. Ze draafde nogal door: wie zou er het eerst trouwen, Ineke of Annelies? Nou, je zou een slechtere keus kunnen maken. De familie Schutte kwam, zag en overwon. Susan was de eerste die kwam en bleef, de broers volgden. Ron is een geweldige kerel, maar Lars heeft iets... ik kan het niet omschrijven. Jij?'
Annelies schudt haar hoofd. 'Eigenlijk zit je ernaast. Lars...' Ze kleurt bij het noemen van zijn naam.
Sigrid schatert. 'Wat je niet met woorden zegt, verraadt je gezicht! Ik zwijg al... je kunt toch wel tegen een plagerijtje?'
Terug in haar appartement vraagt Annelies zich dat af. Kan ze tegen dat soort plagerijen en in hoeverre is het gemeend?
Van werken komt die avond niets meer. Lars Schutte... wat wíl ze

werkelijk? Zijn aandacht of veel meer?
Dan neemt ze een besluit: eerst het zingen in de kerk, met Pasen. Tot dan houdt ze afstand. Hart op slot en hoofd erbij houden. Maar wat voelt het goed dat ze verlost is van haar gevoelens voor Ron!

Sneller dan verwacht is het ineens Pasen. Ze weet het: er is niets om bang voor te zijn. De teksten en muziek zitten er goed in. Lars heeft een paar mensen uit het gospelkoor ingeschakeld, zij vormen een achtergrondkoortje. Ruimte voor de hele groep is er niet voor in de kerk.
Voor ze 's ochtends haar appartement verlaat, zijn er al de nodige telefoontjes geweest. Haar ouders, Victor en zelfs Ron. 'Sterkte, 't gaat best goed... je kunt het!'
Met Pasen is de kerk, net als met Kerst, beter bezet dan op een normale zondag. Complete gezinnen, dorpelingen die gasten hebben en misschien een zoekende uit de omgeving. Kortom: het is een feestelijk gebeuren. Vlijtige handen hebben het oude gebouw versierd met voorjaarsbloemen, die een heerlijke geur verspreiden. De organist is op dreef, preludeert, combineert bekende liederen met eigen fantasie.
Tot haar eigen verbazing is Annelies niet nerveus. Lars ziet het en zegt er wat van. En als het moment daar is dat de predikant het groepje aankondigt, fluistert hij in haar oor: 'Ik ben zo blij met jou.' Even kijken ze elkaar aan, een fractie van een seconde. En dan weet Annelies het zeker: ze heeft haar hart aan deze blijde man verloren.
Heel even zijn Dennis en Lars bezig met hun instrumenten, puur voor de zekerheid: voor hen is een onzuivere toon onaanvaardbaar.
De dominee begroet hen en richt zich tot de gemeente. 'Het eerste lied dat gespeeld en gezongen wordt, is velen van u bekend. Juist de oudere garde zal het vertrouwd in de oren klinken. Maar het lied heeft zichzelf overleefd, is met de tijd meegegaan. U zult verrast en

zeker niet teleurgesteld worden! Misschien zingt u mee, in uw hart of hardop.'
Annelies kijkt de kerk in, ziet de bekende gezichten, en het is haar of de mensen zichtbaar hun oren spitsen. Ze glimlacht om die gedachte.
Lars knikt 'zijn' groepje toe. Richt zich dan tot de gemeente. 'Goede vrijdag is geweest, nu vieren we Pasen. We blikken terug naar het kruis. Daar willen wij van getuigen en zingen. Want, mensen, zingen is als ademhalen! Het bevrijdt, we richten ons op Jezus Christus. Het was de aartsvader Augustinus die ooit zei: "Zingen is de hoogste vorm van gebed. Zingen is dubbel bidden. Zingen kun je alleen als je liefhebt!"' Hij houdt zijn banjo iets omhoog en zet 'Op die heuvel daarginds' in.
Annelies heeft het gevoel alsof het bloed op een bruisende manier door haar aderen stroomt. Ze zingt, geeft wat ze kan. Ze ervaart dat zingen een diepere intentie krijgt wanneer je liefhebt.
Het was niet de bedoeling, maar na het slotakkoord staan de luisteraars op en applaudisseren. Tot de predikant een hand opheft en het groepje musici hun plaatsen weer inneemt. Tijdens de prediking komt Annelies tot rust.
Het was goed. Meer dan goed.

Na afloop, als de kerk leegstroomt, kunnen veel mensen het niet laten even te laten weten dat ze genoten hebben van de muziek. Zoals juffrouw Berkhout, die tranen in de ogen heeft. 'Jullie hebben niet alleen Hem daarboven gelukkig gemaakt, maar ook ons, de kerkgangers. Annelies, niet dat ik je wil feliciteren. Maar ik wil wel dit zeggen: je hebt je plaats gevonden.'
Victor heeft zijn buren en de muziekgroep met aanhang uitgenodigd voor de lunch. Over enkele dagen opent hij officieel, maar de première is voor zijn vrienden. Zo zegt hij het zelf.
Annelies kan niet anders dan aanvaarden dat ze in het middelpunt

van de belangstelling is komen te staan. Want iedereen die aanwezig is in het restaurant meent wat te moeten zeggen over dit eerste optreden. Sigrid gniffelt dat ze blij is met haar opvolgster. Annie en Flip zeggen trots te zijn op hun dochter.

Ja, juffrouw Berkhout heeft gelijk, vindt Annelies ook zelf: ze heeft haar plaats gevonden. En hoe...

Lars is niet van haar zijde weg te slaan. Raakt af en toe een hand of een arm aan. Het is menigeen duidelijk: die twee hebben elkaar gevonden. Het is Annelies vreemd te moede, ze durft Lars bijna niet in zijn ogen te kijken. Alsof ze vreest daar wat in te lezen dat zo nieuw is voor haar. Maar het moet er toch van komen...

'Volgende week tweede optreden. Annelies Bussink... nieuw in het theater. Zou je niet liever Annelies Schutte willen heten?' vraagt Lars. Hij heeft haar meegetroond naar de kleine tuin achter het restaurant, waar Victor bezig is een ouderwets soort theetuin te creëren.

Ze lopen door tot het prieel dat een scheidingswand met tuin van de buren vormt.

'Dat is ouderwets, tegenwoordig...' Annelies weet dat ze gaat raaskallen, als ze doorgaat. Ze kijkt schuw omhoog, haar blik wordt gevangen door de ogen van Lars, die donker van emotie zijn. Hij trekt haar tot achter een stokoude conifeer met wijde takken die vragen om een snoeischaar.

Wil ze het uitstellen, nog langer verdragen dat ze om elkaar heen draaien?

'Ik wist het vanaf de eerste keer dat ik je zag, en toen ik je stem hoorde, twijfelde ik er geen moment aan, Annelies. Zodoende was ik de enige die zag dat jij bezig was voor de verkeerde Schutte te kiezen... Je hebt me doodsbang gemaakt. Lieve meid, kijk me toch aan...'

Alsof ze over een heel wankel bruggetje is gegaan, met onder zich woelig water. Ze haalt diep adem, er valt wat zwaars van haar af. Ze klauwt haar handen om de bovenarmen van de man die ze is gaan liefhebben.

Heel langzaam naderen ze elkaar, glijden de armen van Lars om haar heen, en Annelies kan een siddering niet onderdrukken als haar handen over zijn rug glijden. Dit, dit is puur geluk.
'Dankzij jou ben ik gaan nadenken, heb ik die andere weg gevonden. Nu kan ik van harte met je meezingen, Lars, omdat ik het met mijn hart doe. Ik... het voelt alsof ik ben gegrepen!'
Lars lacht, een geluid zwaar van emotie. 'Dat ben je ook, mijn schat, en wel op verschillende manieren. Dit is er een van!'
De eerste, echte kus tussen geliefden. Verbijstering, verlangen, het gevoel van één zijn tot in de eeuwigheid. Een moment van puur goud, een moment vol belofte.